LS 2
Lateinamerika-Solidarität

Nie hätte das Auge jemals
die Sonne gesehen,
wenn es nicht selbst
sonnenhaft wäre.

Plotin

Raúl Fornet-Betancourt

Philosophie und Theologie der Befreiung

Mit einem Vorwort von
Enrique Dussel

Materialis Verlag

ISBN 3-88535-119-6

(c) Materialis Verlag, Rendeler Str. 9-11
D-6000 Frankfurt 60, Telefon (069) 45 08 82
Erstausgabe 1987
Lektorat: Lothar Wolfstetter
Gestaltung: Markus Eidt
Umschlagbild: Azrael Gondin
Printed in Western Germany

CiP-Kurztitelaufnahme der Deutschen Bibliothek:

Fornet Betancourt, Raúl:
Philosophie und Theologie der Befreiung / Raúl Fornet-
Betancourt. Mit e. Vorw. von Enrique Dussel. - Erstausg. -
Frankfurt (Main) : Materialis-Verl., 1988
  (Lateinamerika-Solidarität ; 2)
  ISBN 3-88535-119-6
NE: GT

BT
83.57
.F67
1987

INHALT

VORWORT

Das vorliegende Buch ist schon deshalb ungewöhnlich, weil es sich um das erste Buch handelt - und das gilt auch für die Literatur im spanischen Sprachbereich -, das Philosophie und Theologie der Befreiung gleichzeitig untersucht. Im allgemeinen ist die Befreiungstheologie bekannter, sicherlich dank ihrer Bedeutung für die Weltkirche. Ihrerseits hat die Befreiungsphilosophie eine parallele Geschichte, die in der breiten Öffentlichkeit jedoch eine viel geringere Aufmerksamkeit gefunden hat und die insbesondere in Deutschland völlig unbekannt ist. Wie dem auch sei und obwohl die Theologie und die Philosophie der Befreiung in Lateinamerika fast zur gleichen Zeit, d.h. gegen Ende der 60er Jahre entstanden sind, hat doch niemand bis jetzt den Versuch unternommen, beide Denkbewegungen zu vergleichen. Mit diesem Buch signalisiert also sein Verfasser ein neues Forschungsthema, nämlich die vergleichende Untersuchung dieser beiden neueren Arten der theoretischen Reflexion in Lateinamerika.

Mit Nachdruck hat die Befreiungstheologie von Anfang an darauf hingewiesen, daß sie auf die Sozialwissenschaften als kategoriales Instrumentarium für die Gesellschaftsanalyse rekurriert. Zu Recht rückt daher in den Mittelpunkt der gesamten erkenntnistheoretischen Diskussion die Frage nach dem spezifischen Gebrauch der sozialwissenschaftlichen Kategorien durch die lateinamerikanische Befreiungstheologie bei der Aufdeckung bestimmter ökonomischer, politischer und gesellschaftlicher Bedingungen. Gewiß hat der Rekurs auf das sozialwissenschaftliche Instrumentarium eine Revolution in der Art und Weise, Theologie zu treiben, bedeutet, und zwar nicht nur in Europa und in den USA, sondern ebenso in Afrika und Asien. Man hat allerdings nie über die Befreiungsphilosophie gesprochen, genauer gesagt, man hat nicht gesehen, daß die Anwendung einer solchen Philosophie auch für die Theologie eine Notwendigkeit darstellen kann. Daß man diese Notwendigkeit übersah, ist andererseits nur allzu verständlich: eine solche Philosophie gab es noch nicht; und die Philosophie, die damals zur Verfügung stand, war für die Befreiungstheologie völlig uninteressant. Gegen Ende der 60er Jahre dominierten tatsächlich in der philosophischen Landschaft Lateinamerikas die Phänomenologie, die analytische Philosophie, die Strömung der sogenannten Philosophie der lateinamerikanischen Seinsweise und der Marxismus, der vor allem durch eine zentrale, mehr oder minder dogmatische Tendenz vertreten war, obgleich es andere weniger wichtige Richtungen des Marxismus auch gab. Keine von diesen Philosophien war aber in der Lage, der Befreiungstheologie ein ihrem Ansatz und Anliegen adäquates theoretisches Instrumentarium anzubieten. Wohl deshalb erklärt sich die Wende zu den Sozialwissenschaften hin, deren

Kategorienwelt übrigens den Zusammenhang bildet, in dem sich die Unterscheidung zwischen der Philosophie (die man ablehnte) und der sozialwissenschaftlichen Methode des Marxismus (der man sich bediente) durchsetzte.

Geschichtliche Tatsache ist aber, daß gerade in dieser Zeit, in der die Befreiungstheologie ihren Weg macht, eine Gruppe von Philosophen - hauptsächlich in Argentinien - sich seit 1969 mit der Problematik der Entwicklung einer Philosophie der lateinamerikanischen Befreiung beschäftigte. Der Ausgangspunkt dieser Gruppe war vor allem durch die Phänomenologie, das Denken M. Heideggers, die Frankfurter Schule und die Philosophie E. Levinas beeinflußt. Mit der Befreiungstheologie teilte diese Gruppe das Anliegen, von der Option für die Armen und Unterdrückten her zu denken. Ihre theoretische Aufgabe jedoch war eine andere als die der Befreiungstheologen, und zwar deshalb, weil die Entwicklung einer lateinamerikanischen Philosophie der Befreiung die Herausbildung von neuen, eigenen Interpretationskategorien voraussetzte. In gewisser Weise machte die Befreiungstheologie von den Kategorien der lateinamerikanischen Sozialwissenschaften einfach Gebrauch; denn als Theologie kam ihr nicht die Aufgabe zu, Kategorien zur Analyse der Gesellschaft zu "konstruieren". Ihre Aufgabe war vielmehr die, die sozialwissenschaftlichen Kategorien *theologisch* anzuwenden. Die Befreiungsphilosophie - sofern sie sich als Philosophie verstand - hatte dagegen die doppelte Aufgabe der Herausarbeitung eigener Kategorien und der Begründung der von den Sozialwissenschaften gebrauchten Kategorien, womit sie indirekt zut Grundlegung des sozialanalytischen Instrumentariums der Befreiungstheologie beiträgt.

Aus dieser Perspektive wird auch ersichtlich, daß Theologie und Philosophie der Befreiung für zwei verschiedene theoretische Projekte stehen. Die Theologie ist eine Aufgabe des Gläubigen; und gerade auf diesen Aspekt ist die größere politische Bedeutung der Befreiungstheologie in Lateinamerika zurückzuführen. Die lateinamerikanischen Volksmassen sind ja gläubig. Die Philosophie dagegen ist das Geschäft eines rationalen Subjekts, unabhängig davon, ob es einen religiösen Glauben hat oder nicht. Theoretisch spricht dies für die Universalität der Philosophie, in der Tat jedoch findet sie zahlreiche Einschränkungen in Lateinamerika.

Trotz aller Verschiedenheit ist allerdings der Theologie und der Philosophie der Befreiung ein radikal kritischer Ansatz gemeinsam, der für diejenigen, die sie betreiben, bestimmte Gefahren mit sich bringt, wie z.B. die Vertreibung aus der Heimat, der Verlust der Arbeitsstelle, Lehrverbot usw. Wer sich für die Theologie und Philosophie der Befreiung heute in Lateinamerika engagiert, der läuft tatsächlich politische Gefahr (wer das schreibt, lebt seit 1975 im Exil). Eines darf dabei aber nicht übersehen werden: Während der Theologe zu einer traditionsreichen Institution - der katholischen bzw. der evangelischen Kirche - gehört und in der Regel Priester oder Ordensmann bzw. Ordensfrau ist und so mit dem Schutz von Institutionen, die gegenüber den staatlichen Organismen autonom sind, rechnen kann, ist der Philosoph dagegen beruflich dem Staat sozusagen ausgeliefert, da Philosophie eigentlich nur an Universitäten gepflegt wird und diese Universitäten, zumeist die besseren, dem Staat gehören. Relevanter wird dieser Aspekt noch, wenn man bedenkt, daß in den 70er Jahren in Lateinamerika der Staat in die Hände von Regierungen fiel, die die "Doktrin der Nationalen Sicherheit" verkörperten. Der Fall Argentiniens ist hier exemplarisch, wo ab 1975 die gesamte Bewegung der Befreiungsphilosophie systematisch zerstört wurde. Solche Faktoren verdeutlichen die Gründe, weshalb so eine Denkströmung wie die Befreiungsphilosophie in Lateinamerika heute immer noch politisch schwach ist.

Wichtig ist aber andererseits die Tatsache, daß eine solche Philosophie da ist. D.h. sie ist nicht da in der Form eines geschlossenen Systems, sondern eher als ein Prozeß, der noch völlig offen ist, der aber zur Konstitution eines begrifflichen Instrumentariums geführt hat, das unter anderem der Befreiungstheologie bei der Artikulation eines adäquaten theoretischen Diskurses hilfreich sein kann. Die Befreiungsphilosophie kann bereits heute als Vermittlung zwischen der Theologie und den Sozialwissenschaften in Lateinamerika angesehen werden. Darüber hinaus ist auch klar, daß die Befreiungsphilosophie - auch wenn sie nicht das politisch-historische Gewicht der Befreiungstheologie hat - theoretisch weiter als die Befreiungstheologie gehen kann, sofern sie nicht nur einen vernunftmäßigen Diskurs vorlegt, der auch von Nicht-Gläubigen mitvollzogen werden kann, sondern auch, weil sie sich bis zur Ebene der strikt rationalen Begründung ihrer ersten Kategorien wagt.

Mit der vorliegenden Untersuchung leistet Raúl Fornet-Betancourt Pionierarbeit, weil er - wie bereits gesagt - als erster es verstanden hat, diese beiden Strömungen des lateinamerikanischen Denkens der Gegenwart aufeinanderzubeziehen. Und indem er seine Ergebnisse dem deutschen Publikum vorlegt, erfüllt er mit seiner Arbeit zudem noch eine zweite Aufgabe, nämlich diese lateinamerikanischen theoretischen Ansätze einer Welt nahezubringen, der wir vieles schulden bzw. verdanken. Dieses Geständnis soll allerdings die Tatsache nicht relativieren, daß der originäre Sinn der revolutionären Praxis in Lateinamerika die Theologie und Philosophie der Befreiung zu einer Denktradition mit eigenem Charakter macht.

Enrique Dussel

México, D.F. 1987

EINLEITUNG

DIE BEDEUTUNG DER LATEINAMERIKANISCHEN
PHILOSOPHIE UND THEOLOGIE DER BEFREIUNG
ALS BEITRAG ZUR ÜBERWINDUNG DES EUROZENTRISMUS

Weder die starke Resonanz bzw. allgemeine Anerkennung, die die lateinamerikanische Gegenwartsliteratur heute in der Welt und insbesondere in den westeuropäischen Ländern findet, noch die weltweite Debatte um die Befreiungstheologie dürften über die Tatsache hinwegtäuschen, daß Lateinamerika fast 500 Jahre nach der sogenannten Entdek-
kung immer noch um die Anerkennung der Bedeutung seiner Kulturleistungen als Ausdruck geistiger Eigenständigkeit zu kämpfen hat. Besonders in Westeuropa, wo man offensichtlich weiterhin an die überholte
Vorstellung Lateinamerikas als eine unterentwickelte Kulturprovinz des
europäischen Geistes festhalten will, ist der Widerstand gegen die konsequente Anerkennung der kulturellen Autonomie des lateinamerikanischen Subkontinents noch sehr deutlich zu spüren; ein Widerstand, der
sich auf vielschichtige Weise manifestiert, der jedoch die Grundform
jener bleibenden Arroganz kennt, welche Hegel ganz offen zur Sprache
brachte, als er der Neuen Welt ein geistiges Eigenleben absprach und
lapidar feststellte, daß das, was von dort kommt, doch "nur der Widerhall der Alten Welt" (1) ist.

Es wäre sicherlich übertrieben, behaupten zu wollen, daß Hegels Dik-
tum vom geistigen Unvermögen der Neuen Welt sich zum definitiven
Veredikt in der Einstellung der Europäer verdichtet hätte. Nicht zu
ignorieren ist jedoch andererseits seine tatsächliche Nachwirkung als
Vorurteil, das bei vielen Europäern den Zugang zur Bedeutung lateinamerikanischer Kulturleistungen immer noch blockiert und sie konsequenterweise daran hindert, sich auf einen gleichberechtigten interkulturellen Dialog mit Lateinamerika einzulassen, wie etwa der Mexikaner Alfonso Reyes bereits 1936 auf dem Kongreß der Pen-Clubs forderte:
"Und nun sage ich vor dem Tribunal internationaler Intellektueller, das
mich anhört: wir erkennen das Recht auf die Weltbürgerschaft, die wir
bereits errungen haben, an. Wir haben die Volljährigkeit erreicht. Sehr
bald werdet ihr euch daran gewöhnen, mit uns zu rechnen." (2)

Gegenwärtig läßt sich allerdings der europäische Widerstand gegen
die Anerkennung Lateinamerikas als gleichwertigen und gleichberechtigten Gesprächspartner vor allem in den Bereichen der Philosophie und
Theologie wahrnehmen, wobei zu bedenken ist, daß dieser Befund kei-

neswegs überraschend ist. Im Gegenteil, diese Tatsache ist aus der Sicht des Europäers beinahe eine Selbstverständlichkeit. Philosophie und Theologie repräsentieren doch zwei Wissensbereiche, die traditionell zum Expansionsfeld des europäischen Geistes gehören, und zwar so wesenhaft, daß nicht nur die Vorstellung von der europäischen Herkunft, sondern auch der Gedanke der exklusiven Zugehörigkeit der Philosophie und Theologie zur Kulturtradition Europas sich über Jahrhunderte hindurch als unwiderlegbare Evidenzen durchgesetzt haben. In wenigen Kulturbereichen kommt deshalb der Eurozentrismus so deutlich wie auf den Gebieten der Philosophie und Theologie hervor. Daran lassen beispielsweise die gängigen Geschichtsbücher der Philosophie bzw. Theologie keinen Zweifel. Diese Werke, die notorisch als Weltgeschichten konzipiert werden, belegen doch eindeutig die Dominanz der eurozentrischen Weltsicht, indem sie mit frappierender Selbstverständlichkeit außereuropäische Autoren systematisch ausklammern und die philosophische, theologische Denktradition Europas einfachhin als universale Repräsentanten der Entwicklung des menschlichen Geistes in diesen Bereichen darstellen. Daran ändert übrigens nichts die Tatsache, daß in jüngster Zeit z.B. europäische Philosophiehistoriker den einen oder anderen afrikanischen, asiatischen oder lateinamerikanischen Philosophen in ihren Darstellungen einbeziehen, denn - weil die eurozentrische Grundausrichtung bestimmend bleibt - sie werden lediglich als "Anhang" oder "Fußnote" zur europäischen Geistesgeschichte gesehen.

Vor diesem Hintergrund wird bereits die grundlegende Bedeutung, die der lateinamerikanischen Philosophie und Theologie der Befreiung als Beitrag zur Überwindung des Eurozentrismus zukommt, offensichtlich. Indem beide unmittelbar zum Ausdruck bringen, daß Lateinamerika sich seiner kulturellen Autonomie auch auf den Gebieten der Philosophie und Theologie bewußt wird, stellen sie doch den Eurozentrismus radikal in Frage, und zwar in zwei seiner traditionsreichsten Hochburgen. Im folgenden soll daher versucht werden, diese Bedeutung der lateinamerikanischen Philosophie und Theologie der Befreiung punktuell zu untersuchen, wobei allerdings zu bedenken bleibt, daß die Kritik des Eurozentrismus kein primäres Anliegen, sondern eher eine Konsequenz ist, die sch aus dem methodischen und thematischen Ansatz beider ergibt.

Zur notwendigen Auseinandersetzung mit dem herrschenden Eurozentrismus in Philosophie und Theologie führt bereits die Grunderkenntnis, von der aus die lateinamerikanischen Philosophen und Theologen der Befreiung ihre Aufgabe verstehen, nämlich die Erkenntnis, daß in Lateinamerika Philosophie und Theologie auf eine neue Weise betrieben werden sollen. Denn mit dieser Erkenntnis, die ja das kulturelle Selbstbewußtsein des Subkontinents auch im philosophischen bzw. theologischen Bereich reflektiert, wird eine kritische Distanz zur europäischen Denktradition ausgesprochen, die sich ihrerseits in der notwendigen Forderung nach einer neuen Positionsbestimmung von Philosophie und Theologie konkretisiert. Deshalb wird auch zunächst die Auseinandersetzung mit dem Eurozentrismus in der Art einer radikal kritischen Revision der Geschichte der Philosophie bzw. Theologie geführt, durch welche ebe die Legende der verbindlichen Universalität des von Europa bestimmten Verständnisses von Philosophie und Theologie zerstört werden soll. Mehr noch, diese Revision ist die Demontage der Geschichte der Philosopie und der Theologie als Reflex europäischer Geistesgeschichte. Die sogenannte abendländische philosophische, theologische Tradition wird somit nicht als universales Erbe schlechthin anerkannt. Sie wird vielmehr als regionales Gedankengut verstanden, das nur auf der Basis imperialer Expansion einheimische Denktraditionen verdrängen konnte sowie sich als Beispiel für menschliche Geistesentwicklung überhaupt durchzusetzen vermochte. So gesehen bedeutet der Versuch, Philosophie bzw. Theologie "in lateinamerikanischer Perspektive" zu treiben – wie Gustavo Gutiérrez für die Theologie klarstellt –, einen Bruch mit der Tradition, sofern diese für die Vorherrschaft der europäischen Denkweise steht. Dieser Bruch mit dem seit Jahrhunderten als paradigmatisch geltenden Denkmodell aus Europa kündigt daher zugleich das Ende des europäischen Kolonialismus im philosophisch-theologischen Bereich an.

Die im methodischen Ansatz der lateinamerikanischen Philosophie und Theologie der Befreiung implizierte Kritik des Eurozentrismus kann man jedoch noch deutlicher zum Vorschein bringen, wenn man ihre Namen rückwärts als "Befreiung der Philosophie" bzw. "Befreiung der Theologie" liest. Dadurch wird in der Tat den Aspekt stärker hervorgehoben, daß die hier in Konfrontation mit der europäischen Denktradition versuchte neue Positionsbestimmung eine grundlegende Befreiung der philosophischen und theologischen Denkarten voraussetzt. Wie eben angedeutet, handelt es sich ja um den Versuch einer Neudefinition der philosophischen und theologischen Arbeit, bei der – gerade weil die Kritik am Eurozentrismus mit impliziert wird – Philosophie und Theologie von der postulierten Universalität der europäischen Rationalität als von einem ethnozentrischen Vorurteil befreit und von den bodenständigen Denkformen der eigenen Kulturtradition bestimmt werden.

Andererseits ist ebenfalls zu berücksichtigen, daß als Implikation des Ansatzes der lateinamerikanischen Philosophie und Theologie der Befreiung die Kritik am Eurozentrismus auch im Lichte des historischen, sozial-politischen und kulturellen Zusammenhangs, in dem beide Denkrichtungen entstanden sind, betrachtet werden muß. Hier müssen allerdings einige wenige Hinweise genügen.

Bekanntlich entsteht die Befreiungstheologie, deren erste Systematisierungsversuche im Jahre 1969 vom peruanischen Weltpriester Gustavo Gutiérrez vorgelegt werden, im Rahmen der kirchlichen Erneuerung, die das II. Vatikanische Konzil in Gang setzt und die in Lateinamerika von der II. Generalversammlung der lateinamerikanischen Bischöfe in Medellín (1968) vertieft und radikalisiert wird. Neben diesem wohl strikt intraekklesialen Faktor ist allerdings ein anderer zu nennen, der zwar eher für die politische Gesamtsituation sowie für den Stand der sozialwissenschaftlichen Forschung zu diesem Zeitpunkt in Lateinamerika bezeichnend ist, der aber eine zentrale Relevanz für die Theoriebildung der Befreiungstheologie hat. Es geht dabei zunächst um die objektive revolutionäre Situation, die sich in Lateinamerika als Charakteristikum für die Dekade der 60iger Jahre herausbildet. Wie die starken sozialen, politischen Auseinandersetzungen und der wachsende Einfluß der linksorientierten Kräfte auf dem ganzen Subkontinent dokumentieren, scheint in Lateinamerika in dieser Zeit die Stunde der lang ersehnten kontinentalen Revolution geschlagen zu haben. Interessanter für uns muß jedoch in diesem Zusammenhang die Tatsache sein, daß diese revolutionsverdächtige historische Situation sich unter anderem auf die sozialwissenschaftliche Forschung auswirkt, und zwar im Sinne einer radikalen Neuorientierung, die zur Herausbildung der sogenannten neuen lateinamerikanischen Sozialwissenschaft führt. Mit den Erkenntnissen, die durch neue Entwicklungen, wie z.B. die kubanische Revolution, zutage gebracht werden, stellt diese historische Situation tatsächlich den entscheidenden Impuls dafür dar, daß die lateinamerikanische Sozialwissenschaft mit den herkömmlichen, von der nordamerikanischen funktionalistischen Soziologie bestimmten Erklärungsschemata der Unterentwicklung des Subkontinents bricht und ein neues Interpretationskonzept herausarbeitet, das sich in der "Dependenztheorie" verdichtet.

Es ist sicher nicht übertrieben, wenn man die "Dependenztheorie" als Zäsur bei der sozialwissenschaftlichen Erklärung der Unterentwicklung betrachtet. Versuchte man, bis dahin die lateinamerikanische Unterentwicklungssituation vor allem durch Vergleich und Kontrast mit dem Entwicklungsstand der Industrienationen zu erläutern, so wird nun mit dem Ansatz der neuen lateinamerikanischen Sozialwissenschaft gezeigt, daß Unterentwicklung ein Synonym für Unterdrückung und Abhängigkeit ist. Und gerade diese durch die historische Erfahrung ermöglichte Wende in der Problemstellung ist es, welche die Befreiung als die eigentliche Alternative auf die Unterentwicklungssituation reflektiert. In diesem Sinne stellt also die "Dependenztheorie" die Leistung dar, in der sich dokumentiert, daß die Sozialwissenschaft Lateinamerikas zu einer kontextgebundenen Interpretation gelangt ist, die als lateinamerikanische Sicht über die Situation des Subkontinents betrachtet wird.

Die Bedeutung dieser Entwicklung für die Befreiungstheologie liegt auf der Hand: sie entsteht in einem sozial-politischen Kontext, dessen kohärenteste Deutung der Sozialwissenschaft eben mit der "Dependenztheorie" herausgearbeitet worden ist. Es kann also nicht verwundern, wenn die Befreiungstheologie sich nicht - wie traditionell üblich - der Philosophie, sondern sich der Sozialwissenschaft zuwendet, um einen adäquaten analytischen Zugang zur realen Situation der lateinamerikanischen Länder zu gewinnen. (3)

Zum historischen Kontext der Befreiungsphilosophie, der sich teilweise mit dem der Befreiungstheologie deckt, ist speziell und ergänzend zu dem bereits Gesagten einerseits die Polemik zwischen Augusto Salazar Bondy und Leopoldo Zea in den Jahren 1969/70 um die Problematik der Authentizität der Philosophie in Lateinamerika hervorzuheben. Andererseits ist ebenfalls die Renaissance des Populismus Angang der 70-iger Jahre in Argentinien zu erwähnen, der - wie wir später zeigen werden (4) - die ersten Entwürfe einer lateinamerikanischen Befreiungsphilosophie stark beeinflussen wird.

Zusammenfassend läßt sich feststellen: Sowohl die Theologie als auch die Philosophie der Befreiung entstehen in einem historischen Kontext, der sich vor allem dadurch auszeichnet, daß Lateinamerika sich seiner Abhängigkeit auf den verschiedenen Stufen bewußt wird und somit auf die Affirmation seiner eigenen kulturellen Identität hin drängt.

Die vorherigen Hinweise, die in den einzelnen Kapiteln näher erörtert werden, skizzieren zwar bloß eine erste Annäherung an den größeren Zusammenhang, in dem Philosophie und Theologie der Befreiung stehen, sie vermitteln uns aber eine wichtige zusätzliche Erkenntnis über die Bedeutung der im Ansatz dieser beiden Denkrichtungen implizierten Kritik am Eurozentrismus. Wir meinen die Einsicht, daß die Kritik am Eurozentrismus bzw. der hier geleistete Beitrag zur Überwindung des europäischen Kolonialismus im philosophisch-theologischen Bereich nicht nur auf dem Hintergrund des historischen Prozesses des Ausbruchs aus den Netzen der Dependenz, sondern auch als wesentlicher

Bestandteil dieses Prozesses verstanden werden sollen.
Andererseits war der Ausblick auf den Gesamtkontext auch deswegen wichtig, weil der Stellenwert der Kritik am Eurozentrismus klar wird, insofern nun diese sich eindeutig als Derivat dessen erfassen läßt, was primär intendiert wird, nämlich die Befreiung; Befreiung, Philosophie und Theologie - wie bereits gesagt - als Notwendigkeit einer neuen Positionsbestimmung zu vollziehen. Wir können also präzisieren: Die lateinamerikanische Philosophie und Theologie der Befreiung tragen gerade insofern zur Kritik am Eurozentrismus bei, als sie aus dem historischen Befreiungsprozeß heraus eine neue Standortbestimmung der philosophischen bzw. theologischen Arbeit vornehmen, die sie zur Konfrontation mit der eurozentrischen Position führt, aber wohlbemerkt nur deshalb, weil jene doch eine Rückbesinnung auf die eigene Kultur und den spezifischen Kontext bedeutet. Im Grunde liegt also die Bedeutung der Philosophie und Theologie der Befreiung als Beitrag zur Überwindung des Eurozentrismus gerade darin, daß beide den systematischen Versuch repräsentieren, die philosophische und theologische Reflexion sowohl in die historische Wirklichkeit als auch in die Kulturtradition Lateinamerikas konsequent einzuwurzeln.
Weil es sich also um eine Form von Philosophie und Theologie handelt, die nicht bloß über Lateinamerika (zumal mit einer ausgeliehenen Begrifflichkeit) sprechen will, sondern die Artikulierung eines Diskurses sucht, der fähig sei, die Differenz der lateinamerikanischen Kulturidentität "lateinamerikanisch" zur Sprache zu bringen, übernehmen die lateinamerikanische Philosophie und Theologie der Befreiung Kontext und Kultur Lateinamerikas als den Verstehenshorizont, von dem aus sich ihr Diskurs signifikativ mitbestimmen und artikulieren lassen soll. Und gerade aus diesem Grund leisten sie mit ihrem Ansatz einen zentralen Beitrag zur Kontextualisierung und Inkulturation der Philosophie und Theologie in Lateinamerika; ein Beitrag, der - wie gezeigt - zugleich als Beitrag zur Überwindung des Eurozentrismus zu verstehen ist.
Von Bedeutung für die Kritik am Erbe des Eurozentrismus ist ferner im Ansatz der lateinamerikanischen Philosophie und Theologie der Befreiung noch ein Aspekt, der zwar im Begriff der Inkulturation mitgemeint ist, der aber eben wegen seiner kritischen Relevanz hier jedoch punktuell expliziert werden soll. Es handelt sich dabei um das radikale Umdenken des traditionellen Verhältnisses der Philosophie und Theologie zur Volkskultur. Zu dieser wichtigen Thematik, die später Gegenstand eingehender Untersuchungen sein wird, hier also nur ein Wort.
Durch den Versuch der Inkulturation haben die Philosophie und Theologie der Befreiung einen neuen Zugang zur lateinamerikanischen Volkskultur gewonnen, der - wie in den folgenden Kapiteln gezeigt wird - weit mehr als die Entdeckung bzw. Aufwertung kultureller Inhalte der lateinamerikanischen Volkstradition für die philosophisch-theologische Reflexionsarbeit bedeutet. Denn gerade weil dadurch die Notwendigkeit angezeigt wird, die philosophisch-theologische Reflexion radikal umzuorientieren, und zwar eben am Leitfaden des in der lateinamerikanischen Volkskultur entdeckten Erfahrungspotentials, signalisiert dieser Zugang zugleich den Weg, auf dem Philosophie und Theologie in Lateinamerika sch ihrer lateinamerikanischen Zugehörigkeit bewußt werden. Mit anderen Worten: für die Philosophie und Theologie stellt dieser neue Zugang zur lateinamerikanischen Volkskultur zugleich einen neuen Zugang zu sich selbst dar. Sie bestimmen ihre Funktion von Neuem, setzen ihrer

Reflexion neue Prioritäten und verstehen sich als Dimension der kulturellen Selbstbewußtwerdung Lateinamerikas. (5) Das ist aber nur deshalb möglich, weil mit der Inkulturation die eigene Kultur zum Fundament und zur Quelle für die Philosophie und Theologie wird. Und gerade darin liegt das Wesentliche dieser neuen Beziehung zur Kultur, die die Philosophie und Theologie der Befreiung in besonders deutlicher Weise dadurch an den Tag legen, daß sie zwei Grundelemente der lateinamerikanischen Volkskultur, nämlich die "Volksweisheit" und die "Volksreligiosität", zur zentralen Achse ihrer Reflexionsarbeit erhoben haben.

Ersichtlicher wird übrigens aus dieser Perspektive, wie der Inkulturation, die die Philosophie und Theologie der Befreiung mit ihrem fundamentalen Rekurs auf die autochthone Kultur Lateinamerikas dokumentieren, die entscheidende Bedeutung zukommt, Grundstruktur der radikalen Wendung der Philosophie und Theologie zu sein, die im konkreten lateinamerikanischen Kontext sich dergestalt vollzieht, daß Philosophie und Theologie ihre traditionelle Bestimmung als importierte, verpflanzte Denkformen negieren, um sich aus der Einwurzelung in der eigenen Kulturtradition heraus neu zu entwickeln.

Wir haben bereits angedeutet, daß der Beitrag der lateinamerikanischen Philosophie und Theologie der Befreiung zur Überwindung des Eurozentrismus genau in ihrer Inkulturationsprogrammatik liegt. Nicht nur stellt die Inkulturation den größeren Zusammenhang, in dem die Kritik am Eurozentrismus steht, dar. Sie ist auch die Basis, aus der diese Kritik ihre Kohärenz sowie ihre Radikalität gewinnt. Die Inkulturation der Philosophie und Theologie führt doch notwendigerweise zur Konfrontation mit dem Anspruch der europäischen Kultur, Paradigma schlechthin für jene Artikulierungsform von Philosophie bzw. Theologie zu sein. Es kann deshalb nicht verwundern, daß unsere Ausführungen das kritische, destruktive Moment gegen die eurozentrische Monopolisierung der Philosophie und Theologie akzentuiert haben. Um möglichen Mißverständnissen vorzubeugen, soll jedoch schließlich noch auf die positive Intention des Beitrags der lateinamerikanischen Philosophie und Theologie der Befreiung hingewiesen werden.

Es ist tatsächlich so, daß die Kritik am Eurozentrismus - gerade weil sie im Rahmen des Ansatzes der Inkulturation steht - weder kulturelle Rivalität noch kulturelle Isolierung intendiert. Durch die Überwindung eurozentrischer Vorstellungen soll primär der Horizont für die konsequente Anerkennung der Autonomie anderer Kulturen freigelegt werden. Kulturelle Autonomie wird hier aber nicht als regressive Bewegung in eine geistige Provinzialität, die sich der Kommunikation verweigert, verstanden. Sie meint im Gegenteil die offene Affirmation der eigenen Kulturtradition, in der sich die kulturelle Identität eines Volkes verdichtet, aber doch so, daß sie die grundsätzliche Pluralität des Menschlichen nicht ausschließt und so zur Bedingung von Kommunikation zwischen den verschiedenen kulturellen Identitäten wird. Echter Dialog zwischen den Kulturen wird also erst durch die kulturelle Autonomie der Völker möglich.

Positiv betrachtet ist der Beitrag, den die lateinamerikanische Philosophie und Theologie der Befreiung zur Überwindung des Eurozentrismus leisten, ein Plädoyer für den interkulturellen Dialog, und zwar auf der unabdingbaren Grundlage kultureller Gleichberechtigung.

Anmerkungen

(1) G.W.F. Hegel, *Vorlesungen über die Philosophie der Geschichte,* in: *Werke in zwanzig Bänden,* Bd. 12, Frankfurt/M. 1970, S. 114

(2) Alfonso Reyes, *Ultima Tule,* in: *Obras Completas,* Bd. XI, Mexiko 1960, S. 90

(3) Für eine eingehende Darstellung des historischen, sozial-politischen Kontextes der Befreiungstheologie vgl. Raúl Fornet-Betancourt, *Annäherung an Lateinamerika,* Materialis Verlag, Frankfurt/M. 1984

(4) Dazu sowie zur Erörterung des geschichtlichen Hintergrunds der Befreiungsphilosophie vgl. das Kapitel: "Zur Geschichte und Entwicklung der lateinamerikanischen Philosophie der Befreiung". Dabei wird auch die Bedeutung der "Dependenztheorie" näher erläutert.

(5) Vgl. Fernando Castillo (Hrsg.): *Theologie aus der Praxis des Volkes,* Mainz 1978, S. 17 ff.

TEIL I

THEOLOGIE

1. KAPITEL

DER MARXISMUS-VORWURF GEGEN DIE LATEIN-
AMERIKANISCHE THEOLOGIE DER BEFREIUNG

In der gegenwärtigen Offensive gegen die lateinamerikanische Theologie der Befreiung spielt der Vorwurf, sie sei marxistisch infiziert, eine bedeutende, ja entscheidende Rolle. Zwei wichtige Texte, die zweifellos als exemplarisch für die neuere Auseinandersetzung mit der lateinamerikanischen Befreiungstheologie angesehen werden können, nämlich die Instruktion der Kongregation für die Glaubenslehre über eine Aspekte der Theologie der Befreiung (mit dem Datum vom 3. August 1984 am 3. September 1984 erschienen) und Kardinal Höffners Eröffnungsreferat bei der Herbstvollversammlung der Deutschen Bischofskonferenz im September 1984 (1), machen den Marxismusvorwurf gegen die Theologie der Befreiung zum zentralen Anliegen ihrer Ausführungen, und zwar vor allem deshalb, weil in beiden Texten vorausgesetzt wird, daß der Nachweis der ideologischen Anlehnung an den Marxismus automatisch die theologische Disqualifizierung der Befreiungstheologie bedeute.

Aber wie sieht der Marxismusvorwurf aus? Die diesbezüglichen Darlegungen der römischen Instruktion lassen sich folgendermaßen zusammenfassen:

1. Die Theologie der Befreiung macht "unkritische Anleihen bei der marxistischen Ideologie" /13).

2. Diese unkritischen Anleihen beim Marxismus - so wird ferner erläutert - betreffen nicht nur die Übernahme der sogenannten "marxistischen Analyse" /14), sondern ebenso die Aneignung bestimmter Standpunkte der marxistischen Ideologie. Und es wird sogar der Satz gewagt: "Deshalb geschieht es nicht selten, daß unter dem, was viele 'Befreiungstheologen' marxistischen Autoren entleihen, die ideologischen Aspekte überwiegen" /15). Daraus wird dann gefolgert:

3. Durch eben diese dem Marxismus entlehnten ideologischen Aspekte führt die Theologie der Befreiung zur "Perversion der christlichen Botschaft" /18). Konkretisierend wird in diesem Zusammenhang auf die Übernahme der "*Theorie* des Klassenkampfs" /19) sowie auf die Reduktion des Reiches Gottes auf den "zeitlichen Messianismus" /19,22) des marxistischen Proletariats hingewiesen. Letzteres wird übrigens ganz ausdrücklich darauf zurückgeführt, daß die Befreiungstheologen "in verderblicher Weise den *Armen* der Schrift mit dem *Proletariat* von Marx" /20) verwechselten.

Im wesentlichen sind dies auf die Aspekte, die das Eröffnungsreferat von Kardinal Höffner "Soziallehre der Kirche oder Theologie der Befreiung?" in bezug auf den Marxismusvorwurf gegen die Befreiungstheologie aufgreift. Daher ist es hier nicht nötig, auf sein Referat eigens einzugehen. Auf eine Stelle soll jedoch ausdrücklich hingewiesen werden, und zwar nur deshalb, weil sie unmittelbar Anlaß für eine spätere, notwendige Präzisierung in Hinblick auf die Entwicklung des Marxismus in Lateinamerika sein wird. Gemeint ist jene Stelle, an der der Rekurs der Befreiungstheologie auf das methodische Instrumentarium des Marxismus so formuliert wird: "Die Theologie der Befreiung hat sich deshalb eine andere marxistische Analyse als Instrumentarium gewählt, nämlich die marxistische Ideologie von der realen Basis und dem ideologischen Überbau" /22/. Damit will Kardinal Höffner offensichtlich auf den ökonomischen Determinismus als bleibendes Prinzip im Marxismus aufmerksam machen. Aber gerade in diesem Bereich hat doch die Marxismusrezeption in Lateinamerika zu einer theoretischen Neuheit geführt, die Kardinal Höffner völlig zu ignorieren scheint. Mehr dazu aber später.

Nehmen wir also die Darlegung des Marxismusvorwurfs der römischen Instruktion als Leitfaden für unsere kritischen Anmerkungen und stellen die Frage, die sich vor diesem Hintergrund unmittelbar aufdrängt: Was ist dran an dem Marxismusvorwurf gegen die lateinamerikanische Befreiungstheologie?

Bei der Erörterung dieser Frage könnte man sich gewiß die Sache sehr leicht machen, indem unter direkter Berufung auf lateinamerikanische Befreiungstheologen festgestellt wird, daß am Marxismusvorwurf wirklich nicht viel dran sein kann, weil - wie die Betroffenen selbst immer wieder betonen - die Rede von der bestimmenden Präsenz des Marxismus in der Theologie der Befreiung eigentlich nur leeres Gerede ist. So sagte Kardinal Arns am 5. September 1984 in einem Interview mit dem Zweiten Deutschen Fernsehen: "Alles, was vom Marxismus gesprochen wird, ist sehr viel Gerede, und es steckt sehr wenig dahinter." Und in einem Spiegel-Interview sagte Leonardo Boff lapidar: "In Wirklichkeit ist der Marxismus für uns Nebensache." (2)

Wir wollen aber diesen leichten Weg nicht einschlagen. Der Marxismusvorwurf soll hier nicht einfach dadurch entkräftet bzw. relativiert werden, daß man ihm die Gegenaussagen der Befreiungstheologie gegenüberstellt. Vielmehr wollen wir einen etwas schwierigeren Weg einschlagen und versuchen, den Marxismusvorwurf der römischen Instruktion auf seine Stringenz und Kohärenz hin zu hinterfragen, und zwar im Lichte des größeren Zusammenhangs, in dem er gesehen werden muß, nämlich im Licht der neueren lateinamerikanischen Marxismusrezeption sowie der lateinamerikanischen Kulturtradition überhaupt.

Marxismusrezeption in Lateinamerika

Aus unserer Perspektive muß also die Frage, ob es in Lateinamerika so etwas wie eine "marxistisch infizierte" Befreiungstheologie gibt, im Zusammenhang mit der neueren lateinamerikanischen Marxismusrezeption gesehen werden. Der Grund dafür ist einfach der, daß der Rekurs lateinamerikanischer Befreiungstheologen auf das methodische Instrumentarium des Marxismus in einem bestimmten geistesgeschichtlichen Kontext steht, der wesentlich von der Marxismusrezeption mitgeprägt wird und in dem, gerade deshalb, sich die marxistische Analyse als Interpretationsalternative durchsetzt. Mit anderen Worten: Der Rekurs lateinamerikanischer Befreiungstheologen auf die marxistische Analyse setzt die Vorleistung der Marxismusrezeption als notwendige Bedingung voraus. Worin aber besteht diese Vorleistung?

Bevor wir auf diese Frage eingehen, müssen wir allerdings darauf hinweisen, daß die konsequente Antwort auf diese Frage sich nur auf der Basis einer theoretischen Rekonstruktion der Geschichte der neueren Marxismusrezeption in Lateinamerika gewinnen läßt. Im Rahmen des vorliegenden Kapitels kann das allerdings nicht geleistet werden. Wir müssen uns darauf beschränken, die Vorleistung der Marxismusrezeption ganz gezielt zu behandeln. Wir werden also nur jene Aspekte berücksichtigen, die sich als unmittelbar relevant für die methodische Entscheidung der Befreiungstheologen anbieten.

Vor dem Hintergrund dieser hier notwendigen Einschränkung darf nun der Versuch unternommen werden, die angesprochene Vorleistung der Marxismusrezeption zu erörtern. Ihre Vorleistung besteht zunächst einmal darin, daß sie eine radikale Wende in den lateinamerikanischen Sozialwissenschaften einleitete. Richtig einschätzen lassen sich allerdings Bedeutung und Tragweite dieser Wende erst dann, wenn man auch weiß, daß in dem Zeitraum vom Ende des Zweiten Weltkrieges bis zum Ende der 50er Jahre die lateinamerikanischen Sozialwissenschaften sich vornehmlich an den Interpretationsschemata der nordamerikanischen Soziologie und Wirtschaftstheorie orientierten und daß sie infolgedessen die Unterentwicklungssituation Lateinamerikas als Rückstandsstadium begriffen, das sich durch gezielte ökonomische Maßnahmen wie zum Beispiel durch einen beschleunigten Industrialisierungsprozeß beheben lassen würde. Daher kristallisieren sich die theoretischen Ansätze der lateinamerikanischen Sozialwissenschaften dieser Zeit in den sogenannten "desarrollistischen" (desarrollo = Entwicklung) Theorien heraus.

Anfang der 60er Jahre - in einer sozialpolitischen Konjunktur, die einerseits durch das Scheitern der desarrollistischen Entwicklungsmodelle und andererseits durch die zunehmende Bedeutung der kubanischen Revolution bestimmt ist - setzt sich nun in den lateinamerikanischen Sozialwissenschaften die Erkenntnis durch, ihre bis dahin für gültig gehaltene Interpretationskategorien revidieren zu müssen. Das ist zugleich auch die Situation, in der die Sozialwissenschaften Lateinamerikas den Marxismus einbeziehen. Damit wird eine tiefgreifende Wende eingeleitet, die einen radikalen Perspektivenwechsel in den lateinamerikanischen Sozialwissenschaften zur Folge hat. Von nun an wird das Problem der Unterentwicklung nicht mehr im Horizont der potentiellen Entwicklung innerhalb der bestehenden Wirtschaftsordnung gesehen, sondern im Horizont der Befreiung von der unterdrückenden Wirtschaftsordnung. Unterentwicklung ist kein natürliches Stadium, keine Übergangsphase. Sie wird jetzt als eine historisch hervorgerufene Situation begriffen, deren Hauptmerkmale Unterdrückung und Abhängigkeit heißen.

Aus dem Gesagten wird ersichtlich, daß Bedeutung und Tragweite der Wende, die in den lateinamerikanischen Sozialwissenschaften durch die Rezeption des Marxismus herbeigeführt wird, gerade darin liegen, die Interpretationsmodelle der desarrollistischen Theorien überwunden zu haben, und zwar durch die Herausarbeitung der "Dependenzkategorie" als Schlüsselbegriff für das adäquate Verständnis der lateinamerikanischen

Unterentwicklungssituation. Dieser neue Interpretationsansatz wird sich dann in der "Dependenztheorie" verdichten, die als eigenständiger Beitrag der neueren lateinamerikansichen Sozialwissenschaften weltweite Resonanz findet.

Für den Rückgriff der Befreiungstheologie auf die marxistische Analyse kommt der Formulierung der Dependenztheorie deshalb eine besondere Bedeutung zu, weil daruch die lateinamerikanischen Sozialwissenschaften als die Wissenschaften erscheinen, die in Lateinamerika auf der Höhe der Zeit stehen und die gerade deshalb auch den besseren Zugang zur lateinamerikanischen Situation bieten. Zu diesem Zeitpunkt sieht sich also die lateinamerikanische Theologie mit der Tatsache konfrontiert, daß nicht etwa die Philosophie, sondern eben die Sozialwissenschaften es sind, die ihr bei der Analyse der Situation des Subkontinents am besten helfen können. Daher gilt der sogenannte Rückgriff der Befreiungstheologie auf die marxistische Analyse nicht dem Marxismus, zumindest nicht primär. Im Zusammenhang der neueren Marxismusrezeption in Lateinamerika wird klar, daß sie in ihrem Rekurs den Marxismus auf dem Umweg seiner Verarbeitung in den lateinamerikanischen Sozialwissenschaften trifft. Und das ist sehr wichtig, weil - wie die theoretische Artikulation der Dependenztheorie zeigt - die lateinamerikanischen Sozialwissenschaften den Marxismus weder unkritisch noch mechanisch übernommen haben. Mit der Herausarbeitung der Dependenztheorie haben sie einen kreativen, wenn auch umstrittenen Beitrag zur Kontextualisierung des Marxismus in Lateinamerika geleistet.

Mit diesem Hinweis jedoch sind wir bereits im Umkreis anderer, für das Verständnis der methodologischen Option der Befreiungstheologen auch relevanter Aspekte der neueren lateinamerikanischen Marxismusrezeption. Da andererseits der Hinweis auf kreative Kontextualisierung eigentlich ein Hinweis auf die Weiterentwicklung ist, durch welche - gerade weil sie auf der Basis eigentümlicher Erkenntnisse aus der lateinamerikanischen Geschichte vollzogen wird - die Gültigkeit und die Universalität bestimmter Kategorien der traditionellen, orthodoxen marxistischen Theorie in Frage gestellt werden, ist es angebracht, vorweg zu sagen, daß diese anderen Aspekte als feste Bestandteile der durch den Versuch der Kontextualisierung hervorgerufenen Modifikantion der marxistischen Theorie in Lateinamerika zu betrachten sind.

Neben dem zentralen, bereits erläuterten Aspekt der Formulierung der Dependenztheorie wären also folgende, wohl auch konkretere Aspekte - deren ausdrückliche Formulierung übrigens zum Teil der Entwicklung der Dependenztheorie zu verdanken ist - zu nennen:

1. Die theoretische und geschichtliche Relativierung des Klassenkampfs. Aus der Gegenüberstellung des Klassenkampfbegriffs mit der Geschichte sozialer Konflikte in Lateinamerika wird die Erkenntnis gewonnen, daß die marxistische Kategorie des Klassenkampfs kein allgemeingültiges Gesetz darstellt.

2. Die partielle Zurücknahme bzw. Revision des Determinismus der ökonomischen Infrastruktur. Anhand konkreter Beispiele aus der sozialpolitischen Entwicklung Lateinamerikas wird gezeigt, daß Faktoren, die zum sogenannten Überbau der Gesellschaft gehören, nicht nur ein Eigengewicht haben, sondern auch autonom werden können. Sie sind also keine bloße Widerspiegelung der realen Basis. (Das ist übrigens eine der theoretischen Neuheiten, die Kardinal Höffner anscheinend ignoriert bzw. ignorieren will.)

3. Erweiterung des Bereichs der dialektischen Widersprüche durch die Thematisierung des Konflikts zwischen Entwicklung und Unterentwicklung als internationaler Widerspruch zwischen Nord und Süd.

Gibt es eine marxistisch inspirierte Theologie der Befreiung?

Nach der Erörterung der für das Verständnis des Rückgriffs lateinamerikanischer Befreiungstheologen auf die marxistische Analyse relevantesten Aspekte der neueren Marxismusrezeption in Lateinamerika dürfen wir nun zum Kernpunkt unserer kritischen Anmerkungen zurückkommen und erneut die Frage stellen: Was ist dran am Marxismusvorwurf gegen die lateinamerikanische Theologie der Befreiung? Oder anders formuliert: Gibt es in Lateinamerika eine "marxistisch infizierte" Theologie der Befreiung? Auf diese Frage wollen wir eine Antwort versuchen, und zwar auf der Basis der Erkenntnisse der neueren lateinamerikanischen Marxismusrezeption. Damit aber die Antwort nicht allgemein, sondern konkret wird, soll sie auf dem Weg der ausdrücklichen Hinterfragung des Marxismusvorwurfs der römischen Instruktion gewonnen werden.

Zu überprüfen wäre hier also zunächst jener Punkt, in dem von den unkritischen Anleihen der Befreiungstheologie bei der marxistischen Ideologie die Rede ist. Betrachtet man diese Aussage im Licht des geistesgeschichtlichen Kontextes, in dem sie gesehen werden muß, nämlich im Zusammenhang der neueren lateinamerikanischen Marxismusrezeption, so muß man sagen, daß die vermeintliche Feststellung eine glatte Unterstellung ist. Sicher ist der Rückgriff auf die marxistische Analyse bei vielen lateinamerikanischen Befreiungstheologen nicht zu leugnen, aber genauso gilt auch die Tatsache, daß dieser Rückgriff - wie bereits gesagt - primär einer Sozialwissenschaft gilt, die sich bei ihrer Analyse der lateinamerikanischen Wirklichkeit kritisch des Marxismus' bedient. Infolgedessen ist der Rückgriff lateinamerikanischer Befreiungstheologen auf das methodische Instrumentarium des Marxismus nicht als unkritisch, sondern im Gegenteil als kritisch zu beurteilen, und zwar in doppelter Hinsicht. Denn zum einen gilt dieser Rückgriff - wie die neuere Marxismusrezeption in Lateinamerika zeigt - einem bereits kritisch verarbeiteten Marxismus. Zum anderen werden die Erkenntnisse der marxistisch orientierten lateinamerikanischen Sozialwissenschaften im Licht einer auf die Ergebnisse dieser Wissenschaften nicht zurückführbaren Glaubensoption kritisch beleuchtet und potenziert.

Die Befreiungstheologie benutzt die Sozialwissenschaften von ihrem eigenen, unabdingbaren theologischen Standpunkt aus. Daher handelt es sich von vornherein um ein Gegenüber der beiden Standpunkte. Deswegen kann dieser Rückgriff nicht als unkritische Übernahme einer fremden Position ausgelegt werden. Es geht der Befreiungstheologie hier nicht darum, irgendeine neue Begründungsmöglichkeit ihrer theologischen Option für die Armen zu finden. Es geht vielmehr lediglich um die Anwendungsmöglichkeit eines Instruments, und zwar vor allem im Hinblick darauf, die Vermittlung zwischen Glauben und Politik adäquat artikulieren zu können. Gerade darauf haben Leonardo und Clodovis Boff in ihrer Antwort an Kardinal Ratzinger ausdrücklich hingewiesen: "Der Befreiungstheologie ist es stets darum gegangen, den Marxismus als *Vermittlung*, als intellektuelles Werkzeug, als *Instrument* zur Analyse der Ge-

Gesellschaft zu gebrauchen. Darin besteht der erkenntnistheoretische Stellenwert des Marxismus innerhalb der Befreiungstheologie ... Alles in allem haben wir den Marxismus immer als Vermittlung für etwas Größeres betrachtet, d.h. für den Glauben und seine geschichtlichen Forderungen." (3) So verstanden, schließt der Rückgriff der Befreiungstheologie auf die marxistische Analyse die Übernahme der marxistischen Ideologie als Basis für ihre theologische Reflexion eigentlich aus.

Für den zweiten Aspekt des Marxismusvorwurfs, in dem sich dieser in der Anschuldigung verdichtet, "daß unter dem, was viele 'Befreiungstheologen' marxistischen Autoren entleihen, die ideologischen Aspekte überwiegen", kann sich aus dem eben Gesagten nur die Konsequenz seiner Unhaltbarkeit ergeben. Zur Erhärtung dieser Konsequenz kann man noch ergänzend folgende Gründe anführen: 1. Die fundamentale Glaubenserfahrung, aus der die Befreiungstheologie kommt, schließt die marxistische Ideologie aus. Beim wissenschaftlichen Rückgriff auf die marxistische Analyse ist sie die normative Grundlage für die darin gesuchte Vermittlung des Glaubens. 2. Die Trennung zwischen marxistischer Analyse und marxistischer Ideologie, von der die Befreiungstheologen sowohl faktisch als auch theoretisch ausgehen, wird im Grund mit Argumenten abgelehnt, die dem Stand der heutigen internationalen Marxismusdiskussion kaum gewachsen sein dürften. 3. Das Übergewicht marxistischer ideologischer Aspekte bei den Befreiungstheologen wird anhand von Phänomenen erörtert, die jeder, der sich etwas intensiv mit der Geistesentwicklung Lateinamerikas befaßt hat, eher im Zusammenhang mit der lateinamerikanischen Kulturtradition als mit dem Marxismus verstehen wird. Gemeint sind hier jene konkreten Aspekte, die im dritten Punkt unserer Darstellung des Marxismusvorwurfs der römischen Instruktion hervorgehoben wurden, nämlich die Übernahme der Theorie des Klassenkampfs, die Reduktion des Reiches Gottes auf einen zeitlichen Messianismus und die Gleichsetzung der Armen mit dem marxistischen Proletariat. Die Erörterung dieser Thematik gehört aber zum dritten Schritt unserer Kritik.

Die Bedeutung der Kulturtradition Lateinamerikas

Wie der Hinweis auf die lateinamerikanische Kulturtradition andeutet, reicht allerdings die neuere Marxismusrezeption in Lateinamerika nicht mehr aus, um diesen dritten, konkreteren Aspekt des Marxismusvorwurfs der römischen Instruktion angemessen zu behandeln. Wir müssen auf die lateinamerikanische Kulturtradition zurückgreifen. Und ein Hauptmangel in der Argumentation der römischen Dokuments ist sicherlich die Tatsache, daß es die Theologie der Befreiung völlig getrennt vom Kulturerbe Lateinamerikas sieht. (Das ist andererseits nur allzu verständlich, denn es ist doch eindeutig, daß die römische Instruktion ausschließlich mit eurozentrischen Kategorien argumentiert.) Für uns aber - wie gesagt - muß der hier diskutierte Aspekt des Marxismusvorwurfs im größeren Zusammenhang der lateinamerikanischen Kulturtradition gesehen werden. Was heißt das nun konkret?

1. Die Behauptung, die Befreiungstheologie übernehme die Theorie des Klassenkampfs, übersieht die entscheidende Tatsache, daß die Befreiungstheologie, auch wenn sie tatsächlich von diesem eindeutig marxistischen Begriff Gebrauch macht, seine ursprüngliche marxistische Be-

deutung radikal verändert und relativiert. Denn sie verwendet diesen Begriff nicht nur auf der Basis der aus dem christlichen Gebot der Nächstenliebe resultierenden Option für die Armen, sondern auch - und nur dieses Moment soll hier hervorgehoben werden - im unmittelbaren Anschluß an die kulturgeschichtliche Tradition Lateinamerikas. Infolgedessen erfährt der Begriff des Klassenkampfs eine grundlegende Veränderung, und zwar insofern, als er nun Instrument zur Deutung der radikalen, der lateinamerikanischen Kultur und Gesellschaft zugrunde liegenden Konflikte wird. Diese Konflikte sind nicht bloß sozialpolitischer, sondern auch geistiger, kultureller, ja sogar interkultureller Natur, weil sie auch den Konflikt zwischen dem Lateinamerika der Indianer und Mestizen und dem europäischen Lateinamerika reflektiert. Und gerade diese komplexe Konfliktsituation ist es, die die ursprüngliche marxistische Bedeutung des Klassenkampfbegriffs sprengt. Bei ihrer Anwendung auf die lateinamerikanische Situation wird diese Deutungskategorie sozusagen umgedeutet.

So erklärt sich, daß viele Lateinamerikaner zwar vom Klassenkampf sprechen, im Grund aber eine umfassende Konfliktsituation meinen, deren Pole nicht zwei Klassen im marxistischen Sinn sind, sondern vielmehr einerseits das Volk, in dem man oft so etwas wie ein Symbol für unterdrücktes Nationalbewußtsein und Kulturidentität sieht, und andererseits jene anderen Bevölkerungsgruppen, die auf Nachahmung fremder Werte gesetzt haben und somit die Überfremdung bzw. Unterdrückung der eigenen Kultur verkörpern. Daß diese Pole sich zum Teil als der Gegensatz zwischen Armen und Reichen geschichtlich herauskristallisiert haben, dafür ist nicht der Marxismus, sondern die eigene lateinamerikanische Geschichte verantwortlich; eine Geschichte, in der sich ferner zeigt, daß die Armen und nicht die Reichen die Träger der eigentümlichen Werte der lateinamerikanischen Kultur sind. Die Parteinahme für die Armen ist deshalb keine Option für eine Klasse, sondern Option für das Volk als Repräsentant der Authentizität des Lateinamerikanischen.

2. Die Behauptung, die Befreiungstheologie pervertiere den Glauben, indem sie unter anderem das Reich Gottes auf einen rein zeitlichen, marxistisch verstandenen Messianismus reduziert, übersieht auch eine andere entscheidende Tatsache. Wenn in der Befreiungstheologie überhaupt vom Messianismus geredet werden kann - was wir eigentlich nicht glauben -, so hätte das wiederum nicht sosehr mit dem Marxismus als mit der eigenen Kulturtradition zu tun, und zwar mit einem Grundzug der lateinamerikanischen Geistesentwicklung, den man völlig zu Recht als eine ihrer Konstanten bezeichnen darf. Gemeint ist die Tendenz der lateinamerikanisen Intelligenz, Lateinamerika und das lateinamerikanische Volk vom Utopischen her zu denken. Bewußt oder unbewußt steht im Hintergrund jeder radikalen Besinnung auf Lateinamerika jene schmerzhafte, im ersten Kontakt mit Europa durchgemachte und bis heute noch nicht ganz verarbeitete Erfahrung der Negation der ontologischen und anthropologischen Würde des "hombre americano". Wohl aus diesem Grund haben sich die Lateinamerikaner die Frage nach dem eigentlichen Wesen und Wert Lateinamerikas nicht nur immer wieder gestellt, sondern auch immer wieder versucht, diese Frage im Rückgriff auf das Utopische zu erörtern. Mehr noch, man hat Lateinamerika als Utopie konzipiert: Es ist die Heimar der Freiheit (Bolívar), das Land, wo die heilige Harmonie zwischen Mensch und Natur wiederhergestellt

wird (Martí), das Reich der Gerechtigkeit (Hostos), die Heimstätte des idealistischen Sinns des Lebens (Rodó) oder der Geburtsort einer neuen, kosmischen Menschheit (Vasconcelos).

Kulturgeschichtlich kann man also von einer Art lateinamerikanischer Utopie hinsichtlich des Verständnisses von Land und Menschen sprechen. Dabei muß allerdings bedacht werden, daß diese Utopie keine leere, abstrakte Utopie ist. Denn zum einen ist sie die zwar ideale, doch auf ihre geschichtliche Realisierung hin drängende Vorstellung der Zukunft Lateinamerikas als Kontinent einer gelungenen Kulturidentität. Zum anderen kennt sie ein konkretes, historisches Subjekt, das sie trägt, nämlich das lateinamerikanische Volk, dessen Kern nach lateinamerikanischer Auffassung die Armen, die Nichtprivilegierten und Marginalisierten ausmachen. (4) In diesem Sinn ist die "lateinamerikanische Utopie" auch eine Artikulation der immer wieder frustrierten Hoffnung, die man in Lateinamerika von jeher auf das "Volk" (pueblo) als eigentlichen Träger des bodenständigen Kulturethos gesetzt hat. Das "Volk" steht für die unterdrückte, doch noch lebendige Eigentümlichkeit und Differenz Lateinamerikas. Es ist im Grund das Reservoir lateinamerikanischer nationaler und kultureller Identität und bildet somit den unbedingten Bezugspunkt für die Bestimmung eines freien, nicht entfremdeten Lateinamerika.

Vor dem hier umrissenen kulturgeschichtlichen Hintergrund muß der in der Befreiungstheologie vermutete Messianismus als ein gründliches Mißverständnis erscheinen. Denn das, was man bei den Europäern messianisch vorkommen mag, ist in Wirklichkeit ein Grundzug des allgemeinen, vom "Volk" getragenen historischen Prozesses, der in Lateinamerika oft als Suche nach der "Nation" und so auch als Bedingung für den Vollzug nationaler und kultureller Identität verstanden wird. Und es ist klar, daß die Befreiungstheologie als inkulturierte, kontextualisierte Theologie bei der Vermittlung bestimmter Glaubensinhalte von diesem kulturgeschichtlichen Zusammenhang nicht abstrahieren kann, zumal sie darin eine "Utopie" vorfindet, die mit ihrer Sehnsucht nach Freiheit, Gerechtigkeit oder Versöhnung auf Grundwerte hinweist, die zur Tradition der biblischen endzeitlichen Verheißungen gehören und somit die der lateinamerikanischen Kultur inhärente Gegenwart des Christentums dokumentieren.

3. Die Behauptung, die Befreiungstheologie setze die Armen mit dem marxistischen Proletariat gleich - wie aus den Anmerkungen zu den zwei anderen Aspekten klar sein dürfte -, verkennt die Bedeutungsdichte, die schon allein aufgrund der eigenen lateinamerikanischen Kulturtradition den Armen bzw. dem "Volk" zukommt. Zu dem bereits Gesagten darf hier lediglich noch eins hinzugefügt werden. Abgesehen davon, daß für die marxistische Theorie die Armen bzw. das "Volk" Lateinamerikas zum wesentlichen Teil nicht als Proletariat verstanden werden können, ist die vermutete Gleichsetzung von Armen und Proletariat auch deshalb nicht möglich, weil - theoretisch gesehen - für die Lateinamerikaner die Armen bzw. das "Volk" eine kulturethische, anthropologische Kategorie darstellen, deren Bedeutungsdichte sich im Lauf der Unterdrückungsgeschichte ganzer Völker und Kulturen verdichtet hat und sich daher nicht auf die Erfahrung einer gesellschaftlichen Klasse reduzieren läßt.

Vielleicht haben die hier versuchten Anmerkungen den Marxismusvorwurf gegen die Theologie der Befreiung nicht entscheidend bzw. überzeugend genug ausräumen können. Mit dem Hinweis auf die neuere

Marxismusrezeption in Lateinamerika sowie auf die lateinamerikanische Kulturtradition könnten sie aber die programmatische Perspektive geöffnet haben, von der aus eindeutig gezeigt werden kann, daß der Marxismusvorwurf der römischen Instruktion zumindest stark zu relativieren ist.

Schließlich sei noch auf einen Aspekt hingewiesen, der für jede weitere Auseinandersetzung mit der Befreiungstheologie besonders relevant zu sein scheint. Es besteht kein Zweifel daran, daß auf die Frage, ob es in Lateinamerika wirklich kontextualisierte bzw. inkulturierte Theologie gibt, eben die Befreiungstheologie antwortet. Das heißt, man kann nur die Befreiungstheologie als spezifisch lateinamerikanisch bezeichnen. In diesem Sinn jedoch muß die lateinamerikanische Theologie der Befreiung für die europäische Theologie eine Herausforderung zur interkulturell angelegten Auseinandersetzung theologischer Positionen bedeuten. Bedingung dafür ist allerdings, daß die europäische Theologie die Unbedingtheit des Universalitätsanspruchs ihrer Denkkategorien relativiert und sich so auch als regionale Theologie versteht. Zugleich wäre das auch die beste Basis für den Abbau der wachsenden Kommunikationsprobleme, die - nebenbei gesagt - nicht zuletzt aus der zunehmenden theologischen Relevanz des Nord-Süd-Konflikts resultieren und mit denen sich die Theologie heute offensichtlich konfrontiert sieht.

Zu wünschen bleibt also eine neue, differenzierte, vor allem aber im Geist theologischer Gleichbereichtigung geführte Auseinandersetzung mit der lateinamerikanischen Theologie der Befreiung.

Anmerkungen

(1) Zitiert werden die vom Sekretariat der Deutschen Bischofskonferenz herausgegebenen Texte.
(2) Der Spiegel, Nr. 38, 17.9.1984, 154
(3) L. Boff, C. Boff, Fünf grundsätzliche Bemerkungen zur Darstellung von Kardinal Ratzinger, in: Orientierung 48 (1984) 101
(4) J.C. Scannone, Volksreligiosität, Volksweisheit und Philosophie in Lateinamerika, in: Theologische Quartalschrift 164 (1984) 204 f.

2. KAPITEL

"HÖREN AUF DAS VOLK" - THEOLOGISCHE METHODE

ODER IDEOLOGISCHES PROGRAMM?

Überlegungen zur methodischen Denkstruktur

der lateinamerikanischen Befreiungstheologie

Im Geleitwort zum 1982 mit dem Titel "Theologie hört aufs Volk" deutsch übersetzten Bericht über seinen Aufenthalt in der Diözese Acre-Purus im Amazonasgebiet stellt Leonardo Boff fest: "Die Theologie lebt von verschiedenen Arten des Hörens: Hören auf das Wort Gottes, auf den Reichtum der Tradition, auf die Botschaft des kirchlichen Lehramts, auf die Meinung anderer Theologen, auf den sensus fidelium. Auf alle diese Quellen beruft sie sich, aus ihnen schöpft sie. Heute lernt in einer Kirche, die sich für das Volk, für die Armen und ihre Befreiung entschieden hat, die Theologie vorrangig aus dem Kontakt mit dem Volk." (1)

Für die Intention des vorliegenden Kapitels ist dieses Zitat besonders aufschlußreich, und zwar vor allem dort, wo von einer Theologie, die "vorrangig aus dem Kontakt mit dem Volk" lernt, die Rede ist. Denn damit spricht Leonardo Boff weder irgendeine Option seiner Theologie noch irgendein Anliegen der Befreiungstheologie an. Sein Hinweis gilt vielmehr dem methodologischen Grundanliegen der lateinamerikanischen Theologie der Befreiung. Denn dazu gehört doch die Überzeugung, daß die Theologie "vorrangig aus dem Kontakt mit dem Volk" zu lernen hat, wobei dieser Kontakt in einer ganz spezifischen Weise verstanden wird, nämlich in der Weise des "Hörens auf das Volk".

Trotz der Verschiedenheit der Ansätze in der Befreiungstheologie darf also dieser Hinweis von Leonardo Boff als repräsentativ für die methodologische Grundoption der Bewegung angesehen werden. Und daher läßt sich auch im Licht seines Hinweises das Wort "Theologie hört aufs Volk" zunächst einmal im Sinn des Konsensus darüber bestimmen, daß die Besonderheit der Art und Weise, in der sich der Kontakt zwischen Theologie und Volk im heutigen lateinamerikanischen Kontext konkretisiert, gerade in dieser Dimension des "Hörens auf das Volk" liegt. Andererseits stellt dieser Konsens zugleich die von uns gesuchte gemeinsame Basis dar, um die für unsere Intention hier notwendige Rekonstruktion der methodologischen Denkstruktur der lateinamerikanischen Befreiungstheologie in Angriff nehmen zu können. Unsere Verfahrensweise sieht also zuerst so aus: Aus dem Selbstverständnis der lateinamerikanischen Befreiungstheologie heben wir den Konsens über die methodologisch programmatische Funktion des Wortes "Theologie hört aufs Volk" hervor, machen diesen Konsens - noch unbefragt - zu unserem eigenen Ausgangspunkt, um von ihm aus zu versuchen, seine methodologische Verdichtung in der Denkart der Befreiungstheologie immanent aufzuzeichnen.

Denkstruktur der lateinamerikanischen Befreiungstheologie

Methodologisch gesehen hat sich das Wort "Hören auf das Volk" in der lateinamerikanischen Befreiungstheologie in einer Denkstruktur verdichtet, deren fundamentale Elemente folgendermaßen zusammengefaßt werden können:

1. Dezentrierung bzw. Entthronung der theologischen Vernunft in ihrer Funktion als Paradigma für den Zugang des Theologen zur Welt. Paradigmatisch für diesen Zugang zur Welt ist nun vielmehr das konkrete Engagement, die Glaubenspraxis des Theologen.

2. Dezentrierung des professionellen Theologen als Subjekt der Theologie bzw. Anerkennung der Armen als das historische Subjekt der theologischen Reflexion. Daher:

3. Neubestimmung des Stellenwerts der Theologie im Leben der christlichen Gemeinde im Sinn eines zweiten Akts, der die Bedingung seiner Möglichkeit gerade in der Praxis der Gemeinde findet. Weil Theologie als Reflexion Ergebnis einer ursprünglicheren, umfassenderen Lebens- und Glaubenssituation ist, gilt weiter:

4. Die wirkliche Situationalität des Lebens der Gemeinde sprechen zu lassen, um sie als Hypothek für die Theologie zu übernehmen. Die Hypothek heißt:

5. Einwurzelung der theologischen Reflexion im praktischen Leben der Gemeinde. Und daraus folgt dann:

6. Notwendigkeit der wissenschaftlichen Auseinandersetzung mit den ökonomischen, sozialen, politischen und kulturellen Faktoren, die die Grund-Lage des praktischen Lebens des Volkes bestimmen. Dadurch soll die Theologie zum adäquaten Verständnis der Lage gelangen, in der das Volk sich im Grund befindet und aus der heraus es sein Wort der Befreiung durch Kampf und Widerstand zur Sprache bringt. Da andererseits jedoch die Theologie nicht über ein ihr eigenes Instrumentarium zur Analyse der komplexen Grundsituation des Volkes verfügt, ist sie bei dieser Aufgabe auf die Hilfe anderer Wissenschaften angewiesen. Konkretisierend ergibt sich also daraus:

7. Notwendigkeit des Rekurses auf die Wissenschaften, die sich unmittelbar und schwerpunktmäßig mit den realen Faktoren der Produktion und Reproduktion des Lebens beschäftigen, etwa Wirtschaft, Soziologie, Politologie, Kulturanthropologie etc.

8. Präzisierung der theologischen Reflexion auf der Basis des durch diese Wissenschaften vermittelten Verständnisses der Wirklichkeit, und zwar im Sinn einer Reflexion, die im Licht des heilsgeschichtlichen Horizonts des Glaubens den Widerspruch zwischen der wissenschaftlich

freigelegten Grundsituation des Volkes und dem Plan Gottes aufdeckt und sich zur Aufgabe macht, die historische Welt evangeliumsgemäßer zu gestalten. Das heißt zugleich:

9. Reorganisierung der Theologie aus dem Gesamtkontext der Erfahrung von Befreiung und auf diese hin als Mitte der heilsgeschichtlichen Dichte, die sich in der Grundsituation des Lebens des Volkes eben durch die befreiende Glaubenspraxis ankündigt. Theologie wird dadurch zur Theologie der Befreiung des Volkes bzw. der Armen.

10. Als solche muß sie aber "das evangelisatorische Potential der Armen" (Puebla) als ihr ureigenstes Denkpotential betrachten und somit ihre Reflexion weder einseitig noch selbständig, noch selbstgenügsam werden lassen, sondern sie ständig im Dialog mit den Armen und als Antwort auf das interpellierende Wort der Armen vollziehen. Für diese Theologie heißt Denken Dienen; und sie dient den Armen, indem sie mit ihrer Reflexion die Anliegen der Armen entsprechend ausspricht.

11. Prophetie muß daher auch ein Merkmal der dem evangelisatorischen Potential der Armen entsprechenden theologischen Reflexion sein.

Diese Elemente machen deutlich, daß das Wort "Theologie hört aufs Volk" zur Entwicklung einer theologischen Denkart geführt hat, die man ganz allgemein als eine kontextualisierte, inkulturierte Denkart bezeichnen kann. Dabei darf allerdings nicht übersehen werden, daß bei näherer Betrachtung diese allgemeine Bezeichnung bereits die spezifische Bedeutung der am Leitfaden des Wortes "Theologie hört aufs Volk" entwickelten theologischen Denkart mitmeint. Denn gerade weil es sich um eine kontextualisierte, inkulturierte theologische Denkart handelt, geht es genaugenommen um eine Art des Denkens, deren wirklich eigentümliche Bedeutung darin liegt, das Denken in seinem eigenen Ansatz kontextuell und kulturell zu verpflichten. In der Befreiungstheologie Lateinamerikas verdichtet sich also das Wort vom "Hören auf das Volk" in einer Denkart, bei der die theologische Reflexion so strukturiert wird, daß es ihr - wie aus den angeführten Elementen hervorgeht - nicht mehr frei steht, sich selbst irgendwelche abstrakte Denkaufgaben auszudenken.

Auf diesem Hintergrund der Rekonstruktion und Deutung der Denkstruktur bzw. Denkart der Befreiungstheologie als methodologische Verdichtung des Wortes "Hören auf das Volk" soll jetzt ein weiterer Schritt unternommen werden, indem wir zuerst den Hauptbegriff dieses Leitworts, nämlich "Volk", im Licht der lateinamerikanischen geistesgeschichtlichen Tradition auf seine inhaltliche Bedeutung hin befragen, um dann zu zeigen, wie sich diese Bedeutung in bestimmten philosophischen Voraussetzungen der Denkstruktur der Befreiungstheologie widerspiegelt.

"Volk" im Licht der lateinamerikanischen Tradition

Um möglichen Mißverständnissen vorzubeugen, soll jedoch zunächst nachdrücklich darauf hingewiesen werden, daß die Befreiungstheologie die theologische Notwendigkeit, die sich im Wort vom "Hören auf das Volk" ausdrückt, weder von der lateinamerikanischen Kulturtradition noch von irgendeiner wissenschaftlichen Erkenntnis ableitet. Für sie kommt diese Notwendigkeit aus dem Glaubensleben der Kirche, in und aus der sie selbst lebt. Konkreter gesagt: Die vom Evangelium her getroffene Option der lateinamerikanischen Kirche für die Armen stellt die Grundlage dar, auf der die Theologie ihrerseits sich dafür entscheidet, aus dem Kontakt mit dem Volk zu lernen. In diesem Sinn ist also klarzustellen, daß das Wort "Hören auf das Volk" primär die für die theologische Arbeit in Lateinamerika resultierende Konsequenz aus der kirchlichen Option für die Armen meint.

Wenn wir dennoch dieses Leitwort der lateinamerikanischen Befreiungstheologie über den kirchengeschichtlichen Kontext hinaus befragen wollen, dann deshalb, weil eben sein zentraler Begriff auch ein fester Begriff in der Kulturtradition Lateinamerikas ist und als solcher eine bestimmte Bedeutung in ihr erlangt hat, so daß es allein deshalb als angebracht betrachtet werden muß, nach dem Zusammenhang zwischen dem theologischen Wort "Hören auf das Volk" und der Bedeutung von "Volk" in der geistesgeschichtlichen Tradition Lateinamerikas zu fragen, und zwar vor allem in der Absicht, auch den spezifischen kulturellen Hintergrund in den Blick zu bekommen.

Betrachtet man also aus dieser Sicht das Wort "Hören auf das Volk", so fällt zunächst auf, daß dieses Wort auf der Linie von Affinität und Kontinuität mit der Kulturtradition des Subkontinents steht. In diesem Wort klingt doch jene "Volksfreundlichkeit" nach, die von jeher einen der Grundzüge der lateinamerikanischen Kulturtradition charakterisiert hat und die sich weder als fingierte Höflichkeit noch als leere Rhetorik gegenüber einem unbequemen Partner auslegen läßt, weil sie vielmehr die kulturelle Form darstellt, in der die über die Jahrhunderte hindurch in der lateinamerikanischen Geschichte immer wieder als Leitgedanke anerkannte Idee von der Notwendigkeit der mitleidenden Teilnahme am Schicksal des Volkes zum Ausdruck kommt. Wir sprechen hier ganz bewußt von "mitleidender Teilnahme am Schicksal des Volkes", weil damit auf einen Aspekt hingewiesen werden kann, der die lateinamerikanische kulturgeschichtliche "Volksfreundlichkeit" zusätzlich präzisiert. Gemeint ist der Aspekt, daß man in Lateinamerika unter "Volk" immer das verstanden hat, was man etwa im Deutschen mit den "unteren Schichten" bzw. mit "einfachen Leuten" meint. "Einfache Leute" sind nach dem lateinamerikanischen Kulturverständnis nicht nur die Leute, die in Bescheidenheit von ihrer Arbeit - meistens körperlicher Art - leben, die mit Mühe und Not über die Runden kommen, sondern auch und vor allem die, die es nicht schaffen und an den Rand der Kultur, des Wirtschaftslebens und der Gesellschaft gedrängt werden. Kurz: Der Begriff "einfache Leute" bezeichnet in Lateinamerika in erster Linie jene Gruppen der Bevölkerung, die im Leben "arm dran sind". "Einfache Leute" sind vor allem die Armen. Daher gehört zum lateinamerikanischen Verständnis von "Volk", daß man diesen Begriff mit Armut und Not, mit Leid und Entbehrungen, aber auch mit Unterdrückung und Ungerechtigkeit unmittelbar assoziiert. Denn das Volk wird nicht für seine Situation verantwortlich gemacht. Dieser Zug gehört ebenfalls zur "Volksfreundlichkeit" der lateinamerikanischen Kulturtradition.

Zum besseren Verständnis der inhaltlichen Bedeutung der "Volksfreundlichkeit" in dem kulturellen Erbe Lateinamerikas soll noch hervorgehoben werden, daß die eben angesprochene Sinnverlagerung des Begriffs "Volk" auf die Armen eine kulturgeschichtliche Konsequenz darstellt, die auf die entscheidende Tatsache zurückzuführen ist, daß in der lateinamerikanischen Geschichte die Möglichkeit bzw. die Berechtigung, von "Volk" zu reden, nicht aus dem juristischen Akt eines auf

Staatsbildung hinzielenden Vertrags der Bürger eines Landes untereinander abgeleitet wird. Diese Möglichkeit bzw. diese Berechtigung ergibt sich vielmehr aus einer spezifischen geschichtlichen Erfahrung heraus, der Erfahrung des Leidens. Diese Erfahrung steht ursprünglich für die Empörung über die Leidensgeschichte der Indianer, Schwarzen und Mestizen unter der Kolonialpolitik und bedeutet deshalb einen dezidierten Aufruf zur Solidarität mit dem Schicksal dieser Bevölkerungsgruppen. Entscheidend für die Konstitution dessen, was man dann unter der Kategorie "Volk" zusammenfassen wird, ist also in Lateinamerika - zumindest primär - die geschichtliche Sammlung von Menschen um die als gemeinsame Grund-Lage ihres Lebens empfundene Erfahrung des Leidens. Um diese Erfahrung sammelt sich das "Volk", und zwar vorzugsweise als historische Repräsentation jener Bevölkerungsgruppen, die eben "arm dran sind", weil sie die Leidenden und Beleidigten der Geschichte sind.

Mit dem Gedanken von der historischen Erfahrung des Leidens als volkskonstituierendes Element kommen wir zu dem Punkt, an dem das Spezifische der lateinamerikanischen Volksauffassung sich am deutlichsten aufweisen läßt. In diesem Zusammenhang sei deshalb ein kurzer *Exkurs in die deutsche Geistesgeschichte* erlaubt, um die Differenz der lateinamerikanischen Volksauffassung exemplarisch durch einen Vergleich mit der deutschen zu verdeutlichen. Dieser Exkurs erscheint andererseits um so bedeutsamer, als der deutschen Kulturtradition eine gewisse "Volksfreundlichkeit" auch nicht ganz fremd ist. Denken wir zum Beispiel an *Herder*, für den das Wort "Volk" vor allem die unteren Schichten meint und der mit Nachdruck für eine "nützliche" Philosophie plädiert, die sich an dem Volk orientiert. Unmißverständlich fordert Herder in diesem Sinn: "Ich muß zu dem Volke in seiner Sprache, in seiner Denkart, in seiner Sphäre reden." Und weiter: "Alle Philosophie, die des Volks sein soll, muß das Volk zu seinem Mittelpunkt machen ..." Daher auch der Aufruf: "Du Philosoph und du Plebejer! macht einen Bund, um nützlich zu werden." (2) Ebenfalls bezeichnend für Herders "Volksfreundlichkeit" ist seine tiefe Achtung vor den Kulturen fremder Völker sowie das damit zusammenhängende vernichtende Urteil über die unterdrückende Expansion Europas. Als Kostprobe hierzu: "Nenne man das Land, wohin Europäer kamen und sich nicht durch Beeinträchtigungen, durch ungerechte Kriege, Geiz, Betrug, Unterdrückung, durch Krankheiten und schädliche Gaben an der unbewehrten, zutrauenden Menschheit, vielleicht auf alle Äonen hinab, versündigt haben! Nicht der weise, sondern der *anmaßende, zudringliche, übervorteilende* Teil der Erde muß unser Weltteil heißen; er hat nicht kultiviert, sondern die Keime eigener Kultur der Völker, wo und wie er nur konnte, zerstört." (3) Herders "Volksfreundlichkeit" ist zwar ohne den Franzosen Rousseau kaum zu erklären - auf diesen Punkt kann hier nicht näher eingegangen werden -, diese Tatsache ändert jedoch nichts daran, daß Herder es war, der insbesondere mit seiner Forschung der Volksdichtung in Deutschland auf die "ehrwürdige" Denkart des Volkes, auf die dem Volk eigene Weisheit des gesunden Menschenverstands, kurz auf die Volkstradition wieder aufmerksam machte. Seine Anregungen in dieser Richtung sind nicht völlig ohne Wirkung geblieben, wie sein Einfluß auf die Entwicklung der deutschen Romantik zeigt. Andererseits muß aber auch gesagt werden, daß zumindest in der in Deutschland sozusagen für klassisch gehaltenen philosophischen Kultur sein Plädoyer für eine am Volk orientierte Philosophie weitgehend ingoriert wurde. Bei *Hegel* etwa, der unbestritten als einer der Hauptvertreter der klassischen deutschen Philosophie gilt und dessen Gedanken zum Thema "Volk" als repräsentativ für ein dominierendes Verständnis vom Volk in der Kulturtradition Deutschlands betrachtet werden dürfen, steht die Reflexion über das Volk eindeutig im Zeichen des Geistes des damals sich durchsetzenden Bürgertums. Wichtig ist deshalb für Hegel nicht Herders Ansatz, sondern der rechtsphilosophische Entwurf von Kant und Fichte, in dem - weil die Glieder des Volkes (populus) vor allen Dingen als "Bürger" angesehen werden - der vereinigende Wille zur Konstitution eines "bürgerlichen Ganzen" (4) in den Mittelpunkt sozusagen des Interesses am Volk gerückt wird. Der Bildungsprozeß eines Staates bzw. einer Nation macht also den Zusammenhang aus, in dem das Volk interessant wird, und zwar deshalb, weil es sich gerade in diesem Prozeß als solches herauskristallisiert. Durch die Verschärfung dieser Perspektive wird bei Hegel der Staat zum Garanten der Existenz eines Volkes. Ein Volk ist als solches erst dann zu erkennen, wenn es einen Staat bildet. Daher sieht Hegel auch in dem Staat die Möglichkeit dafür, daß ein Volk handlungsfähig wird und Geschichte machen kann. So heißt es in seinen Vorlesungen über die Philosophie der Geschichte: "In der Weltgeschichte kann nur von Völkern die Rede sein, welche einen Staat bilden." (5)

Freilich verkennt Hegel nicht, daß ein Volk "durch Sprache, Sitten und Gewohnheit und Bildung" (6) zusammenhängt. Dieser Zusammenhang aber wird von ihm stark relativiert, weil seiner Meinung nach ein solcher Zusammenhang allein nicht ausreicht, um das Volk aus dem faktischen Status einer unorganischen Menge bzw. einer formlosen Masse herauszuführen. Damit sich ein Volk als solches konstituieren kann, das heißt, damit es sozusagen den Übergang von der Masse zur organischen Totalität zu schaffen vermag, erscheint Hegel doch ein Zusammenhalt nötig, der nur durch die Bildung des Staates geschaffen und gesichert werden kann. Mehr noch, für Hegel ist die geschichtliche Verwirklichung des Zusammenhalts des Volkes im Staat ohne die Person des Staatsoberhaupts nicht denkbar: "*Das* Volk, *ohne* seinen Monarchen und die eben damit notwendig und unmittelbar zusammenhängende *Gliederung* des Ganzen genommen, ist die formlose Masse, die kein Staat mehr ist und der *keine* der Bestimmungen, die nur in dem *in sich geformten* Ganzen vorhanden sind - Souveränität, Regierung, Gerichte, Obrigkeit, Stände und was es sei -, mehr zukommt." (7)

Aus der von Hegel vertretenen Position geht also eindeutig hervor, daß das Volk nur im Staat und durch den Staat seine abstrakte Unbestimmtheit verliert oder, positiv gesagt, daß der Staat die Gestalt ist, in der ein Volk seine geschichtliche Konsistenz und Bedeutung erlangt. Für den Zweck unseres Exkurses ist nun diese Hegelsche These um so mehr zu unterstreichen, als sie nicht bloß die Binsenwahrheit meint, daß in der deutschen neuzeitlichen Philosophie über das Volk hauptsächlich im Zusammenhang mit der Problematik des Staates bzw. eines rechtlich geregelten Staatslebens nachgedacht wird. Zu unterstreichen ist sie vielmehr und vor allem deshalb, weil bei ihr der Gedanke vorausgesetzt wird, daß das Volk, das seine "Form" im Staat findet, ein Volk ist, das aus "Bürgern", das heißt aus freien Menschen besteht. Und gerade dieser Aspekt scheint uns besonders aufschlußreich zu sein, um die Differenz der lateinamerikanischen Volksauffassung zu verdeutlichen. Im Licht dieses Volksverständnisses aus der deutschen Geistesgeschichte fällt die Eigentümlichkeit der lateinamerikanischen Volksauffassung doch noch deutlicher ins Auge: Während Kant und Hegel etwa die Erfahrung der Freiheit der "Bürger" zum zentralen Moment der Reflexion über das Volk machen und so vornehmlich vom Volk im Sinn einer Gruppe von Menschen reden, die freiwillig ein Verhältnis (Verfassung, Staat) eingehen, steht dagegen im Mittelpunkt der lateinamerikanischen Volksauffassung die Erfahrung der Unfreiheit, die ein anderes Wort für die bereits erwähnte Grunderfahrung des Leidens ist. Durch diese Gegenüberstellung wird auch der Grund klarer, weshalb der Begriff "Volk" in der lateinamerikanischen Kulturtradition nicht unmittelbar mit dem Gedanken der Freiheit, sondern eher mit dem Kampf um Befreiung bzw. mit politischem Widerstand in Verbindung gebracht wird. Aber kommen wir zurück zu unserem Anliegen und versuchen, die Bedeutung des Begriffs "Volk" in der lateinamerikanischen Kulturtradition weiter zu bestimmen.

Die Leidenserfahrung des Volkes und die lateinamerikanische Identität

Wir sagten bereits, daß die *Erfahrung des Leidens* in der lateinamerikanischen Geschichte konstitutiv zur Identität des Volkes gehört. Leiden ist ein Wesensmerkmal des Volkes, aber gerade deshalb auch ein Kriterium für die Entscheidung über die Zugehörigkeit zum Volk. So entsteht das Volk primär als eine Art Gemeinschaft der Leidenden, die nach Solidarität mit ihrem Schicksal schreit. Dieser Schrei begleitet und durchdringt die gesamte lateinamerikanische Geschichte, und deshalb verdichtet sich in ihr die Bedeutung des Volkes nicht in einem abstrakten rechtstheoretischen, sondern in einem auffordernden ethisch-anthropologischen Sinn. Zur lateinamerikanischen "Volksfreundlichkeit" gehört somit eine ethische, anthropologische Komponente, die die historisch verachtete menschliche Würde des Volkes reflektiert. In der Kulturtradition Lateinamerikas impliziert deshalb die Berufung auf das Volk als ethisch-anthropologische Realität gleichzeitig die Anklage der historischen Situation, in der die Menschlichkeit des Volkes negiert wird.

Hier zeigt sich ferner die *politische Bedeutung*, die dem Volksbegriff in Lateinamerika auch zukommt. Dabei muß allerdings berücksichtigt werden, daß die politische Bedeutung eine abgeleitete ist, insofern sie auf der ethisch-anthropologischen gründet. Primär ist Volk kein politischer Begriff, wohl aber eine ethisch-anthropologische Realität, die gerade aufgrund ihrer moralischen Dichte zur politischen Option und Aktion führt. Anders ausgedrückt: Weil "Volk" im Kontext der lateinamerikanischen Kulturtradition in erster Linie für unterdrückte, leidende Humanität steht, fungiert es dabei auch als eine ausgezeichnete Instanz für die ethisch qualifizierte Beurteilung von politischen Zuständen. Wenn wir recht sehen, stellt also die politische Bedeutung des Volksbegriffs in Lateinamerika eine ergänzende Konkretisierung der von uns als ursprünglich betrachteten ethisch-anthropologischen dar, indem jene das Moment angibt, wo diese zur Anklage und Praxis gegen unterdrückende, elitäre politische Systeme wird.

Zur Bedeutungsdichte des Volksbegriffs in der lateinamerikanischen Kulturtradition gehört schließlich die Vorstellung, daß das Volk - in dem hier erörterten Sinn - durch seine lange Geschichte des Widerstands gegen die von den verschiedenen Kolonialmächten geförderte kulturelle Überfremdung nicht nur zum eigentlichen Träger der Grundwerte der lateinamerikanischen Kultur, sondern auch zum Hort der Authentizität des lateinamerikanischen *Kulturethos* geworden ist. (8) Im Grund steht das Volk für kulturelle Bodenständigkeit, weil es in seiner Leidensgeschichte nie aufgehört hat, Widerstand zu leisten, und zwar im Namen eben seiner Verwurzelung in dem Boden, auf dem es Grund und Halt findet. Das bodenständige Lateinamerika ist vor allem dieses Lateinamerika des Volkes, das sich im Widerstand gewahrt und bewährt hat. Es ist das Lateinamerika, das sich in der Weisheit des Volkes mit ihren Mythen und Symbolen über die sakrale Einheit von Mensch und Natur oder mir ihrem ausgeprägten Sinn für Transzendenz und Kontemplation, aber auch mit ihrer "Utopie" einer freien, gerechten Gesellschaft zu Wort meldet und gehört bzw. geachtet werden will. Aus dieser Perspektive repräsentiert das Volk also jenes kulturethische Erbe, das in Lateinamerika - troth Abhängigkeit und Unterdrückung - lebendig geblieben ist und das sich deshalb als unumgänglichen Bezugspunkt für die Bestimmung von Authentizität in der lateinamerikanischen Kultur spontan anbietet.

Daß der Volksbegriff in Lateinamerika eine solche Bedeutung erlangt hat, ist sicherlich das Ergebnis eines kulturhistorischen Prozesses, für den sich mehrere, vielschichtige Gründe anführen lassen. Man könnte zum Beispiel auf den Einfluß des *hispanischen Populismus* hinweisen, und zwar mit den zwei Varianten, die seiner doppelten Tradition eigen sind. Wie man weiß, reicht die erste Manifestation des hispanischen Populismus bis ins Mittelalter zurück, wo vor allem in den Königreichen von Kastilien und Aragón Volksinstitutionen entstanden, die ganz bewußt als regulatives Gegengewicht zur Macht des Adels konzipiert waren. Die wohl bekanntere Version des hispanischen Populismus ist aber die zweite, die besonders in den rechtsphilosophischen Überlegungen des Jesuiten Franz Suárez zur Begründung der Volkssouveränität zum Ausdruck kommt. Nun gilt es heute als erwiesen, daß nicht nur der Populismus der suarezianischen Theorie der Volkssouveränität, sondern auch jener der mittelalterlichen spanischen Institutionen der Volksvertretung einen großen Einfluß in Lateinamerika ausgeübt hat. Für die Entwicklung des lateinamerikanischen Emanzipationsgedankens im 18. und 19. Jahrhundert ist der Einfluß des hispanischen Populismus zumindest genauso ernst zu nehmen wie die Rezeption der Ideale der Aufklärung. (9)

Ohne die Bedeutung der hispanischen populistischen Tradition und ihrer Auswirkungen in der Geistesgeschichte Lateinamerikas schmälern zu wollen, scheint uns allerdings als Erklärung für die Verdichtung des Volksbegriffs in dem erwähnten Sinn der Umstand wichtiger zu sein, daß Geschichte und Kultur in Lateinamerika, wie sie sich nach der Entdeckung und Eroberung des Subkontinents entwickeln, von Grund auf mit der Erfahrung des Schicksals, das Indianer, Schwarze und Mestizen erleiden mußten, belastet werden. Einzigartig ist zweiffelos dabei das Empfinden dieser Belastung als eine Last, die man nicht ablegen kann, ohne gleichzeitig eine ursprüngliche Möglichkeit der lateinamerikanischen Geschichte und Kultur verleugnen zu müssen. Bezeichnend für die Entwicklung der Geschichte und Kultur Lateinamerikas ist deshalb ihre Verknüpfung mit dem Schicksal derer, die sozial, politisch, ökonomisch und kulturell unter den kolonialen Strukturen besonders zu leiden hatten. Anders gesagt: Die Leidenserfahrung des Volkes wird zur Hypothek in der Entwicklung der lateinamerikanischen Geschichte und Kultur, und zwar nicht einfach deshalb, weil man damit fertig werden muß, sondern weil das leidende Volk, das selbst doch diese Geschichte und Kultur durch Formen des Widerstands mitprägt, die von der politischen Revolte bis zur Musik reichen, sich immer wieder als Schlüssel zur Lösung des Rätsels um das wahre Wesen Lateinamerikas anbietet.

Geschichte und Kultur entwickeln sich also in Lateinamerika aus der notwendigen Voraussetzung heraus, daß ohne den Bezug auf das Schicksal des Volkes weder die Herkunft noch die Zukunft des Subkontinents wesenhaft gedacht werden können. Das mag erklären, weshalb das Volk eigentlich weder ein Kapitel der lateinamerikanischen Geschichte noch ein Thema der Kultur Lateinamerikas ist. Es ist vielmehr die Achse, um die beide kreisen, die Quelle, aus der sie beide kontinuierlich schöpfen müssen, um das ursprünglichere Gesicht Lateinamerikas zu enthüllen.

Zum besseren Verständnis dieses Sachverhalts darf noch ergänzend folgendes hinzugefügt werden. Da in Lateinamerika zum Gehalt der Leidenserfahrung des Volkes auch die Erinnerung an die Infragestellung der Menschenwürde der Urbevölkerung sowie an die Herabwürdigung des Subkontinents zum bloß geographischen Faktum gehört, ist die Leidenserfahrung des Volkes auch der Ort, an dem die kulturgeschichtlich vorrangige Frage nach der lateinamerikanischen Identität in ihrer ganzen Radikalität aufgeworfen wird, und von dem aus diese Frage prinzipiell zu erörtern ist. Das Schicksal der Verachteten und Entrechteten macht also die Grunderfahrung aus, welche die lateinamerikanische Geschichte und Kultur zu übernehmen haben, und zwar als die ureigenste Möglichkeit für die Orientierung ihrer Entwicklung am Leitfaden der Identitätsfindung. Und eben deshalb belastet das Volk von jeher die Tradition Lateinamerikas mit der Notwendigkeit, es ständig als Gesprächspartner zu haben.

Verständlicher wird also mit diesem Hinweis nicht nur der konkrete Zusammenhang, aus dem sich die wesenhafte Verknüpfung zwischen Kultur und Volk in Lateinamerika ergibt, sondern auch die Tatsache, daß diese Verbindung weder gewollt noch konstruiert noch das Ergebnis des Einflusses fremder Ideologien ist. Sie ist ein Zeichen lateinamerikanischer Authentizität, weil sie eben der in jenen Fragen latenten Notwendigkeit entspricht, die in der lateinamerikanischen Geschichte und Kultur bis heute noch dramatisch aktuell geblieben sind, nämlich die Fragen: Was ist Lateinamerika? Wer ist der lateinamerikanische Mensch? Was sind er und seine Kultur wert?

Zur Erhärtung unserer These möge ein kurzer Blick auf die lateinamerikanische Geistesgeschichte genügen, um zu zeigen, daß diese Fragen die Intelligenz Lateinamerikas immer wieder dazu bewegten, sich auf das Volk zu besinnen und sein Schicksal als Hypothek für ihr Schaffen zu übernehmen. Gleich ob es sich um Andrés Bello (Venezuela, 1781-1865) handelt, um Rubén Darío (Nicaragua, 1867-1918), den Inca Garcilaso de la Vega (Perú, 1539-1616), González Prada (Perú, 1848-1918), José Mariá Heredia (Kuba, 1803-1839), José Hernández (Argentinien, 1834-1886), Eugenio María Hostos (Puerto Rico, 1839-1903), José de la Luz (Kuba, 1800-1862), José Martí (Kuba, 1853-1895), Juan Montalvo (Ecuador, 1832-1889), Samuel Ramos (Mexico, 1897-1959), Alfonso Reyes (Mexico, 1889-1959), José Enrique Rodó (Uruguay, 1871-1917), Cesar Vallejo (Perú, 1895-1938) oder um José Vasconcelos (Mexico, 1881-1959) - um nicht andere, in Deutschland bekanntere Namen wie zum Beispiel José María Arguedas, Miguel Angel Asturias, Pablo Neruda oder Octavio Paz zu erwähnen -, für sie alle wird das Volk immer dann zum notwendigen

Gesprächspartner, wenn es um die entscheidenden Fragen bzw. Probleme Lateinamerikas geht. So ist für José Martí das lateinamerikanische Volk die notwendige Referenz, um Deformationen und Entfremdungen in der Entwicklung Lateinamerikas als solche aufzudecken: "Die Kolonie lebte in der Republik weiter; doch ist unser Amerika im Begriff, sich von seinen großen Irrtümern - dem Hochmut der Hauptstädte, dem blinden Triumph der verachteten Bauern, der übermäßigen Einfuhr fremder Ideen und Formeln, der ungerechten und unklugen Verachtung der Eingeborenen - kraft einer moralischen Überlegenheit zu befreien ... Wir waren eine Vision: die Brust eines Athleten, die Hände eines Gecken und die Stirn eines Kindes. Wir waren eine Maske: Kniehosen aus England, Weste aus Paris, Sakko aus Nordamerika und Stierkämpfermütze aus Spanien. Der Indio ging stumm um uns herum; dann ging er hoch zum Berg, zur Spitze des Berges, um seine Kinder zu taufen. Der Neger sang, von oben beobachtet, in der Nacht die Musik seines Herzens, allein und unbekannt, zwischen Wellen und wilden Tieren. Der Bauer, der Schöpfer, wandte sich, blind vor Empörung gegen die verächtliche Stadt, gegen sein Geschöpf. Wir waren Epauletten und Togen, in Ländern, die mit Hanfschuhen an den Füßen und Stirnband im Haar auf die Welt kamen." (10)

Philosophische Voraussetzungen der Befreiungstheologie

Die vorhergehenden Ausführungen erschöpfen zwar nicht die vielschichtige Bedeutungsdichte der Kategorie "Volk" in der lateinamerikanischen Kulturtradition, verschaffen jedoch den benötigten Einblick, um den Zusammenhang zwischen dem theologischen Leitwort von "Hören auf das Volk" und der in der geistigen Tradition Lateinamerikas fest verankerten "Volksfreundlichkeit" verdeutlichen zu können. Der Intention des vorliegenden Kapitels entsprechend soll nun dieser Zusammenhang exemplarisch anhand der philosophischen Voraussetzungen offengelegt werden, die der Denkstruktur der Befreiungstheologie zugrunde liegen und in denen sich eben die Zugehörigkeit dieser Theorie zur lateinamerikanischen Geistestradition zeigt. Und weil es gerade nur um diesen Zusammenhang geht, soll noch ausdrücklich darauf hingewiesen werden, daß es sich um Voraussetzungen handelt, die das theologische Fundament der Befreiungstheologie weder relativieren noch es auf gewisse kulturphilosophische Thesen reduzieren wollen, sondern um solche, deren Explizitmachung dazu beitragen soll, den Inkulturationsgrad der Denkart der Befreiungstheologie deutlicher ans Licht zu bringen.

In der Denkstruktur der Befreiungstheologie, so wie wir sie als Verdichtung des "Hörens auf das Volk" skizziert haben, lassen sich folgende Voraussetzungen herausstellen:

1. Auffassung des Volkes als eine um die Erfahrung des Leidens gesammelte Gemeinschaft.

2. Verständnis dieser ethischen Gemeinschaft als Träger einer christlich geprägten kulturethischen Weisheit, die sich in Leid und Widerstand als der Kodex herauskristallisiert hat, von dem aus das Volk die Legitimation der Anklage und Praxis gegen die geschichtlich gegebenen Lebensbedingungen bestimmt und sich selbst als ein berechtigt um sein Recht kämpfendes Subjekt versteht. Daher:

3. Wahrnehmung des Wortes "Volk" als ein legitimes Wort, dessen

wahre Interpellationskraft weder in seiner Deskription noch in seiner Explikation der Wirklichkeit, sondern in seiner radikalen ethischen, in der Praxis inkarnierten Forderung gegenüber den bestehenden Verhältnissen liegt. Deshalb auch:

4. Negation der sogenannten "Öffentlichen Meinung" als Ort, wo das Volk zum Ausdruck kommt. Der bevorzugte Ort des Volkes ist seine Leidens- und Widerstandsgeschichte. Sie ist seine historische Konkretisierung und stellt so auch den Ort dar, an dem die ethische Normativität des Volkes in ihrer Dinglichkeit am deutlichsten wahrgenommen werden kann.

5. Bejahung der Erfahrungsgeschichte des Volkes als Horizont für das richtige Verstehen von Welt und Geschichte, wobei ein Verstehen gemeint ist, das - weil es eben von der "Kehrseite der Geschichte" (Gutiérrez) her vollzogen wird - von Haus aus auf Veränderung ausgerichtet ist. Eng damit verbunden geht dann:

6. Umorientierung des Erkennens am Leitfaden der Volkserfahrung, worunter ein epistemologischer Bruch verstanden wird, der sich weder auf die Versöhnung von Theorie und Praxis noch auf die Betonung des Primats des Ethischen im erkennenden Zugang zur Welt, noch auf die verpflichtende Bindung am Leben des Volkes als Hypothek für die Reflexion beschränken läßt. Es handelt sich auch um den Bruch mit einem verengenden, entwirklichenden Erkennen, das die Bedeutung des Begriffs hypostasiert und aus seinem Bereich die nicht immer begrifflich zu erfassende rituelle, sakrale Dimension des Lebens verbannt hat. Diese Dimension aber gehört zur Mitte der Volksweisheit. Ihre Riten, Mythen und Symbole sind ein eindeutiger Verweis darauf. Wohl aus diesem Grund wird hier die Überwindung der Enge des rein rationalen bzw. begrifflichen Erkennens zur Voraussetzung des konsequenten "Hörens auf das Volk". Wenn man so sagen will, wird die Einsicht vorausgesetzt, daß die durch den Begriff bestimmten Grenzen der Vernunft zu überschreiten sind. Statt vom Bruch könnte man so auch von einer bereichernden Erweiterung der Vernunft sprechen, denn im Grund wird nicht mit der Vernunft, sondern mit der Enge des Begriffs, das heißt mit einem Horizont der Vernunft abgerechnet. Weiter könnte man auch sagen, daß es sich um die Öffnung eines neuen, transrationalen Horizonts für den Vollzug der Vernunft handelt. (In Klammern soll hier noch angemerkt werden, daß diese Voraussetzung einen zentralen Referenzpunkt für den Dialog mit Kulturen aus Afrika und Asien, aber auch mit der europäischen Geistesgeschichte darstellt, insofern Europa auch eine Tradition kennt, die die Kritik an die rationalistische Verengung der Vernunft auf ihre Fahne schreibt.) Zur Umorientierung des Erkennens gehören ferner drei weitere (konkretisierende) Voraussetzungen:

7. Entprivatisierung des Subjekts des Erkennens. Im Horizont der Leidens- und Widerstandsgeschichte des Volkes vollzogenes Erkennen ist ein solches, das nicht nur auf der Basis der Gemeinschaftserfahrung steht. Es ist zugleich vergegenwärtigende Aneignung dieser Erfahrung und deshalb eben einer Art der Kommunion mit der Gemeinschaft. Im Erkennen wird die Gemeinschaft im einzelnen tätig, dieser hört auf jene, und in seinem auf die Gemeinschaft hörenden Erkennen verwirklicht er seine Zugehörigkeit zu ihr.

8. Ergänzend dazu steht dann die Entprivatisierung des Interesses des Erkennens. Die Orientierung an der Gemeinschaftserfahrung macht das Erkennen zu einer kollektiven Aufgabe, in deren Mittelpunkt die Bewäl-

tigung der für die Gemeinschaft vorrangigen Probleme steht. Die praktische Grundausrichtung des Erkennens ist also bereits ein Zeichen dafür, daß das Interesse des Erkennens eher sozial als individuell bestimmt wird.

9. Aufwertung des Realitätsgehalts des Gegenstands des Erkennens im Sinn einer Forderung, die das Erkennen nicht erfindet, sondern vorfindet, und zwar mit der Auflage, auf sie unbedingt einzugehen. Indem das Erkennen sich auf die Forderung des Gegenstands einläßt und sie zu erfüllen versucht, gewinnt es außerdem an Wahrhaftigkeit.

10. Schließlich ist noch eine weitere Voraussetzung zu nennen: Ablehnung der Instrumentalisierung von Welt und Mensch im Prozeß der Befreiung. Gemeint ist damit die Notwendigkeit der Kritik an der in den herrschenden Kreisen Lateinamerikas dominierenden Ideologie der vollständigen Verbreitung der technischen Rationalität als Weg zur Emanzipation. Im Rückgriff auf die Weisheit des Volkes wird demgegenüber angenommen, daß der Schlüssel zur befreienden Transformation von Welt und Mensch eher in der Entwicklung einer Kultur der (anthropologischen) Armut und des Verzichts liegt. Das bedeutet zugleich die Annahme des normativen Charakters der Entwicklung dieser Kultur für die Anwendung der technischen Rationalität. Mehr als um die totale Absage an die Technik geht es deshalb darum, die Technik dem notwendigen Korrektiv der kulturethischen Werte des Volkes zu unterziehen. Denn nur so könnte sie ihre im Effizienz- und Profitdenken fundierte Tendenz zur Instrumentalisierung korrigieren und sich in einen Prozeß der Befreiung einfügen, dessen Horizont nicht zuletzt vom Ideal eines harmonischen Zusammenlebens zwischen dem Menschen und der Natur bestimmt ist.

Theologische Methode oder marxistisch-ideologisches Programm?

Daß diese Voraussetzungen ihre ermöglichende Bedingung in der "Volksfreundlichkeit" der lateinamerikanischen Kulturtradition finden, liegt auf der Hand. In ihnen spiegelt sich doch unmißverständlich vieles von dem wider, was - wie bereits gezeigt - in Lateinamerika traditionell mit dem Begriff "Volk" verbunden wird. Auf eine weitere inhaltliche Bestimmung ihrer lateinamerikanischen kulturellen Herkunft brauchen wir also nicht mehr eigens einzugehen. Vielmehr soll nun versucht werden, aus der gewonnenen Perspektive die Frage zu beantworten, ob das Wort "Hören auf das Volk" für eine theologische Methode oder doch für ein ideologisches Programm steht.

Indem die herausgestellten Voraussetzungen zur Basis der Beantwortung dieser Frage erhoben werden, wird allerdings eine wichtige, eindeutige Vorentscheidung gefällt. Das sollte nicht verheimlicht werden. Es handelt sich jedoch um eine Vorentscheidung, die sich aus der Natur der Sache selbst ergibt. Es liegt - wie gezeigt - an dem Inhalt des Wortes von "Hören auf das Volk", daß dieses Wort Voraussetzungen impliziert, die für seine Einwurzelung in die lateinamerikanische Kulturtradition stehen. Und diese Erkenntnis ist insofern eine Vorentscheidung für die Beantwortung unserer Frage, als sie die Zugehörigkeit dieses theologischen Wortes zur Kulturtradition Lateinamerikas zutage treten läßt und damit dem von den Kritikern angeführten Hauptargument für die Begründung des Ideologievorwurfs gegen das Wort "Hören auf das

Volk" den Boden entzieht. Denn für die Kritiker der Befreiungstheologie
steckt in diesem Wort vor allem deshalb ein Programm ideologischer
Indoktrination, weil sich darin die Übernahme von Elementen aus einer
fremden Ideologie, dem Marxismus nämlich, widerspiegeln soll. Weil
man also dem methodologischen Leitwort der Befreiungstheologen ideologische Motivation vorwirft, damit jedoch im Grund die Inspiration am
europäischen Marxismus meint, nimmt die Feststellung der Inkulturation
des "Hörens auf das Volk" die Antwort auf unsere Frage bereits vorweg,
und zwar auf eine so vorentscheidende Weise, daß man aus der Sicht
der freigelegten Voraussetzungen sagen darf, daß nur Mißverständnisse
bzw. Vorurteile zu der Vermutung geführt haben können, es handle sich
um eine ideologische Position, die zudem auf dem Boden eines der lateinamerikanischen Kulturtradition fremden Gedankenguts steht. Dennoch
wollen wir unsere Antwort nicht dabei bewenden lassen, sondern noch
auf einige Aspekte hinweisen, die den tatsächlichen methodologischen
Charakter des Wortes "Hören auf das Volk" verdeutlichen.

Im Licht des bisher Gesagten wird ja nicht nur ersichtlich, daß das
Wort "Hören auf das Volk" die prägnante Formulierung der methodologischen Entscheidung einer Theologie darstellt, die - wie Gustavo Gutiérrez sagt - "aus ihrer eigenen Quelle" trinken will. (11) Klar wird
ebenso die Bedeutung dieser Option als Schutzmaßnahme sozusagen gegen die Gefahr der Ideologisierung durch die Übernahme marxistischer
Motive. Dem Mitteleuropäer mag das nicht einleuchtend erscheinen, in
Lateinamerika jedoch ist es in der Tat so, daß die wirkliche Nähe zum
Volk eine gewisse Distanzierung von der marxistischen Theorie zur Folge hat. Der Marxismus - in welcher Prägung auch immer - gehört nicht
zu dem, was man in Lateinamerika als "popular" bezeichnet. Zwar kann
man nicht den Wirkungskreis des Marxismus in Lateinamerika auf den
Universitätsbereich beschränken; doch waren seine Adressaten immer
schon vornehmlich Studenten und Intellektuelle, das heißt - um es in
der marxistischen Terminologie zu sagen - Vertreter der Kleinbourgeoi-
sie. Dem lateinamerikanischen Volk blieb so der Marxismus fremd, und
zwar sogar in den Kreisen des städtischen Proletariats. (12)

Diese Entwicklung ist übrigens kaum soziologisch zu erklären, noch
ist sie auf einen Mangel an Klassenbewußtsein im lateinamerikanischen
Volk zurückzuführen. Ihre Gründe liegen vielmehr in der Eigenart des
kulturellen, religiösen Ethos des Volkes. Und wohl deshalb vernimmt die
Theologie, die auf das Volk hört, keine marxistisch geprägte Stimme. Im
Gegenteil, sie hört ein Wort, das sie lehrt, die Bedeutung des Marxismus zu relativieren. Dagegen, so könnte man allerdings hier einwenden,
würde doch der Rückgriff der Befreiungstheologie auf die marxistische
Analyse sprechen. Nur sieht ein solcher Einwand nicht, daß gerade in
diesem Rückgriff die grundlegende kritische Distanz der Befreiungstheologie zur marxistischen Theorie offenkundig wird, indem dabei das für
Lateinamerika heute noch Brauchbare des Marxismus auf das Minimum
der instrumentellen Hilfe bei der wissenschaftlichen Analyse bestimmter
sozio-ökonomischer Zusammenhänge beschränkt wird. (13)

Der Stellenwert des Marxismus in der Befreiungstheologie sollte deshalb keineswegs überschätzt werden, und zwar auch dann nicht, wenn
bestimmte Aussagen der Befreiungstheologen als ideologieverdächtig vorkommen mögen. Denn im Hintergrund solcher Aussagen steht eher die
eigene Kulturtradition als der Marxismus, eine Kulturtradition, die übrigens zutiefst mit dem Christentum verbunden ist. Zur Verdeutlichung:

Als Marx noch selbst in Europa völlig unbekannt war, schrieb Fermín Toro (Venezuela, 1807-1865): "Den Sinn der Begriffe Humanität, Freiheit und Gleichheit hat uns die christliche Religion offenbart. Die Religion der Armen, die demokratische Religion ist es, die uns gelehrt hat, daß die Macht nichts gegen die Wahrheit, gegen die Überzeugung, gegen das Recht kann ... Für den Armen, für das Volk, für die leidtragende Menge ist das heilige Reich; für den Reichen, für des Despoten, für den Mächtigen werden aber seine Tore verschlossen bleiben." (14)

Für den methodologischen Charakter des Wortes "Hören auf das Volk" spricht ferner noch ein weiterer Aspekt. Wie aus unseren Ausführungen ebenfalls hervorgeht, meint dieses Wort kein dogmatisches Prinzip, sondern eine programmatische Erkenntnis. Es soll eben den Leitfaden einer theologischen Reflexion anzeigen, die sich anschickt, kollektive Aufgabe zu werden. Als solche aber muß sie nicht nur ständig aus dem Kontakt mit dem Volk lernen, sondern auch auf den Stand des religiösen Bewußtseins des Volkes Rücksicht nehmen, und zwar mit einer solchen Konsequenz, daß die dadurch entwickelte theologische Sicht der Wirklichkeit dem Volk durchsichtig bleibt und dieses sie als seine Sicht wiedererkennen bzw. es sich darin als das historische Subjekt dieser Theologie wiedererfahren kann. In diesem Sinn enthält die Theologie, die auf das Volk hört und so zu einer Aufgabe wird, in der ständig die Gemeinschaft miteinbezogen wird, eine Programmatik zum Umorientierung der theologischen Reflexion, in der - wie Leonardo Boff zu Recht sagt - "jede Manipulation oder Indoktrination ... systematisch abgelehnt" (15) wird. Mit der Entscheidung, auf das Volk zu hören, verzichtet der Theologe auf die Bevormundung des Volkes und fängt an, die Theologie als eine Dienst-Leistung zu verstehen, deren Erfüllung das Unterwegs-sein mit dem gläubigen Volk erfordert.

Schließlich sei noch ein Hinweis zur Förderung des Dialogs zwischen der Befreiungstheologie und der europäischen Theologie erlaubt. Weil die Befreiungstheologie Lateinamerikas mit der Umorientierung der theologischen Reflexion am Leitfaden des Wortes "Hören auf das Volk" mit einem elitären Denkmodell bricht und somit eine grundlegende Veränderung des Theologiebegriffes selbst initiiert, wird wohl für den Dialog mit ihr von europäischer Sicht her weit mehr als Information über ihren kontextuellen und kulturellen Rahmen erforderlich sein. Dadurch werden zwar Mißverständnisse bzw. Vorurteile geklärt werden können, und schon aus diesem Grund ist diese Informationsphase nicht zu unterschätzen. Für den Dialog reicht das jedoch nicht aus, denn die Verschiedenheit der lateinamerikanischen Befreiungstheologie ist für die europäische Theologie eine kritische Anfrage an die Sicherheit bzw. Gültigkeit ihres Selbstverständnisses als Paradigma für katholische Theologie schlechthin. Wichtig ist also für den Dialog mit der Befreiungstheologie, daß die europäische Theologie diese Anfrage ernst nimmt und sich beispielsweise auf die selbstkritische Aufgabe der Offenlegung ihrer eigenen kulturellen Voraussetzungen einläßt. Die kritische Besinnung auf die kulturelle Bedingtheit wird ihr - wie übrigens auch der lateinamerikanischen Befreiungstheologie - die Möglichkeiten, zugleich aber auch die Grenzen der Gültigkeit ihrer Glaubensartikulation vor Augen führen. Und gerade dieser Einblick in die Begrenztheit des eigenen Verstehens scheint unbedingt notwendig für den Dialog; denn er führt zur Achtung vor der Verschiedenheit sowie zur Einsicht, daß der Dialog erst dann ein solcher ist, wenn er grenzüberschreitend wirkt und über die Auseinandersetzung hinaus zur Eintracht in Anerkennung der Verschiedenheit beiträgt.

Anmerkungen

(1) L. Boff, *Theologie hört aufs Volk*, Düsseldorf 1982, 5
(2) J. G. Herder, *Wie die Philosophie zum Besten des Volkes allgemei-
     ner und nützlicher werden kann*, in: *Werke*, Berlin 6 1982, Bd. 3, 25,
     37, 26 f.
(3) Ders., *Briefe zur Beförderung der Humanität, ebd.*, Bd. 5, 178
(4) I. Kant, *Anthropologie in pragmatischer Hinsicht*, in: *Werke*, Frank-
     furt 1964, Bd. 12, 658; vgl. *Metaphysik der Sitten, ebd.*, Bd. 8, 429
     ff.
(5) Hegel, *Vorlesungen über die Philosophie der Geschichte*, in: *Werke*
     Frankfurt 1970, Bd. 12, 56
(6) *Nürnberger Schriften, ebd.*, Bd. 4, 246
(7) *Grundlinien der Philosophie des Rechts, ebd.*, Bd. 7, 447 (Hervorhe-
     bungen im Text)
(8) Vgl. dazu: 1. Kapitel des vorliegenden Buches: Der Marxismusvor-
     wurf gegen die lateinamerikanische Theologie der Befreiung, S. 28
(9) Vgl. dazu: E. Rivera, La filosofía en Hispanoamérica durante la
     época de la emancipación, in: *Actas del IV. Seminario de Filosofía
     Española*, Salamanca 1986, 175-194; vgl. auch Hans Zwiefelhofer,
     Die hispanoamerikanische Revolution und die Ideen der Scholastik,
     in: *Stimmen der Zeit* 202 (1984) 75-88
(10) José Martí, *Unser Amerika*, in: Angel Rama (Hrsg.): *Der lange
     Kampf Lateinamerikas, Texte und Dokumente von José Martí bis
     Salvador Allende*, Frankfurt 1982, 62-63
(11) Vgl. Gustavo Gutiérrez, *Beber en su propio poso*, Lima 1983
(12) Vgl. Juan Luis Segundo, *Teología de la liberación. Respuesta al
     Cardenal Ratzinger*, Madrid 1985, 175 ff.
(13) Vgl. dazu: Anmerkung 8)
(14) Hier zitiert nach Efraín Subero, *El problema de definir lo hispano-
     americano*, Caracas 1974, 32-33
(15) Leonardo Boff, a.a.O., 118

TEIL II

PHILOSOPHIE

1. KAPITEL

DIE FRAGE NACH DER LATEINAMERIKANISCHEN PHILOSOPHIE,

DARGESTELLT AM BEISPIEL DES ARGENTINIERS

JUAN BAUTISTA ALBERDI

1. Zum kulturgeschichtlichen Kontext der Frage nach der lateinamerikanischen Philosophie

Fragt man heute nach der lateinamerikanischen Philosophie, so wird doch ganz offensichtlich nach den Möglichkeiten und Grenzen einer Philosophie gefragt, die durch die historisch-kulturelle Wirklichkeit Lateinamerikas derart bestimmt wird, daß sie sich als spezifisch lateinamerikanische Philosophie verstehen kann. Gefragt wird also nicht nach der Philosophie *in* und/oder *über* Lateinamerika, sondern nach der Philosophie, die von Lateinamerika aus und auf Lateinamerika hin denkt. Kurzum: Die Frage nach der lateinamerikanischen Philosophie fragt eigentlich nach einer bodenständigen Philosophie, die - weil sie eben der lateinamerikanischen Kultur entspringt - die Eigentümlichkeit bzw. Differenz Lateinamerikas "lateinamerikanisch" reflektiert und zur Sprache bringt.

So verstanden wirft allerdings die Frage nach der lateinamerikanischen Philosophie ein Problem auf, das wir hier nur andeuten können. Wir meinen das Problem der Kontextualisierung und der Inkulturation der Philosophie überhaupt. Auf dieses Problem - wie gesagt - können wir im Rahmen dieses Kapitels nicht eingehen. Ein Hinweis darauf läßt sich aber nicht umgehen, und zwar deshalb nicht, weil dieses Problem gerade den Hintergrund darstellt, vor dem sich die adäquate kulturgeschichtliche Ortung der Frage nach der lateinamerikanischen Philosophie gewinnen läßt. Hierzu also nur ein Wort.

Insofern die in der hier behandelten Frage gebrauchte Bezeichnung "lateinamerikanisch" keine bloße geographische Lokalisierung des Denkens, sondern vielmehr eine geopolitische und geokulturelle Realität meint, die das Denken in seiner Reflexion signifikativ mitbestimmt, wird doch einleuchtend, daß die Frage nach der lateinamerikanischen Philosophie auch folgendermaßen formuliert werden kann: Wie steht es mit der Kontextualisierung der Philosophie in Lateinamerika? Gibt es inkulturierte Philosophie in Lateinamerika? Wenn diese Frage aber - wie wir meinen - sich tatsächlich so formulieren läßt, dann liegt die Konsequenz, worauf wir hier eigentlich hinaus wollten, auf der Hand. Und sie lautet: Die Frage nach der lateinamerikanischen Philosophie erweist sich auch als Frage nach Lateinamerika oder, genauer gesagt, als Frage nach der lateinamerikanischen Kultur. Die "Lateinamerikanität", d.h. die Kontextualisierung und Inkulturation der Philosophie, um die es hier geht, läßt sich doch erst dann genau bestimmen, wenn man auch weiß, was Lateinamerika ist. Die Bestimmung Lateinamerikas und im besonderen der lateinamerikanischen Kultur stellt also die Bedingung dafür dar, daß die lateinamerikanische Philosophie sich als eine solche bestimmen kann.

Vor dem angedeuteten Hintergrund darf nun folgende Erkenntnis hervorgehoben werden. Die Frage nach der lateinamerikanischen Philosophie weist auf die lateinamerikanische Kultur hin, und zwar als den größeren Zusammenhang, in dem sie steht und aus dem heraus sie verstanden werden soll. Seinerseits aber - wie bereits angedeutet - ist dieser größere Zusammenhang selbst problematisch. Die lateinamerikanische Kultur ist alles andere als selbstverständlich. Um diese Aussage zu bestätigen, braucht man nur einen Blick auf die Geschichte der Geistesentwicklung des Kontinents zu werfen; eine Geschichte, in der der Streit um die Existenz einer lateinamerikanischen Kultur immer wieder entfacht wird. Die Debatte um die lateinamerikanische Kultur - auch wenn es etwas paradox klingen mag - gehört zur geistesgeschichtlichen Tradition Lateinamerikas und stellt so ein zentrales Moment seiner kulturellen Bewußtwerdung dar. Es gibt kaum einen wirklich relevanten lateinamerikanischen Denker, der nicht sensibel für diese Frage gewesen ist und Stellung dazu genommen hat. (1) Man hat deshalb oft den Eindruck, daß der Streit um die lateinamerikanische Kultur die Frage ist, an der sich in Lateinamerika die Geister scheiden. Das ist allerdings nur allzu verständlich. Denn - philosophisch betrachtet - geht es bei dieser Frage eigentlich um die ontologische und anthropologische Dignität Lateinamerikas. Damit wird aber auch gesagt, daß im Mittelpunkt des Streits um die lateinamerikanische Kultur eine Frage steht, deren Problematik bis in die ersten Tage der Eroberung und Kolonisierung Amerikas zurückgeht. Wie man weiß, war die schmerzliche Folge der sogenannten Entdeckung bzw. europäischen Invasion für die Eingeborenen Amerikas der Zweifel an ihrer Menschlichkeit und die damit zusammenhängende Verkennung ihrer Kulturen.

Als Debatte um die ontologische und anthropologische Dignität Lateinamerikas steht daher für uns der Streit um die lateinamerikanische Kultur geschichtlich, aber vor allem inhaltlich im direkten Zusammenhang mit der europäischen Polemik des 16. Jahrhunderts über Bedeutung und Wert von Amerika, mit jener Polemik also, in der die Menschen Amerikas und ihre Kulturen zum Problem werden, weil sie anders sind, ihre Andersheit jedoch als Zeichen von Unmenschlichkeit betrachtet wird. Und das heißt: dem Streit um die lateinamerikanische Kultur liegt die bittere Erfahrung der Negation der Humanität der Indios sowie der Degradierung Amerikas zum Land von Barbaren und Heiden zugrunde. Die Bedeutung dieser Erfahrung für die Frage, die uns hier beschäftigt, ist kaum zu überschätzen. Auf sie ist die entscheidende Tatsache zurückzuführen, daß es im Streit um die lateinamerikanische Kultur nicht nur um das vom europäischen Geist geprägte Lateinamerika geht. Auf dem Spiel steht auch das historische Schicksal von Indoamerika.

Aus dieser Sicht wird also deutlich, daß der problematische Charakter der lateinamerikanischen Kultur mit einem grundlegenden Konflikt zu tun hat, der eigentlich interkultureller Natur ist. Mit anderen Worten: problematisch wird die lateinamerikanische Kultur deshalb, weil sie das konfliktive Verhältnis zwischen dem indianischen und dem europäischen Kulturerbe reflektiert, und zwar als Zeichen geistiger Zerrissenheit. Auf dem Hintergrund dieses interkulturellen Konflikts kann dann die zentrale Frage in der Debatte um die lateinamerikanische Kultur nur so lauten: Von wo aus soll sie bestimmt werden? Gründlicher gefragt: Welcher ist wirklich der absolute Referenzpunkt für die Bestimmung der ontologischen und anthropologischen Dignität Lateinamerikas?

Für unser Anliegen hier ist nun allein die Tatsache wichtig, daß diese Grundfrage, weil sie zum Dilemma wird, extrem entgegengesetzte Positionen hervorruft. Einerseits steht die Alternative von Altamerika als Referenzpunkt für die Bestimmung der lateinamerikanischen Identität. Die negierte, unterdrückte, aber doch drängende kulturelle Dichte Indoamerikas soll der Nährboden für eine authentische lateinamerikanische Kultur sein. Auf der anderen Seite wird von der Überzeugung aus argumentiert, daß Altamerika - wie Hegel sagt - "allmählich an dem Hauche der europäischen Tätigkeit untergegangen" (2) ist. Die Konsequenz - auch mit Hegel - ist dann: "Was in Amerika geschieht, geht von Europa aus ... Was bis jetzt sich hier ereignet, ist nur der Widerhall der Alten Welt und der Ausdruck fremder Lebendigkeit." (3) Die lateinamerikanische Kultur ist also allein als Resultat der "europäischen Tätigkeit" zu definieren. Diese beiden Grundpositionen dürfen allerdings nicht als bloße passive Widerspiegelung des interkulturellen Konflikts zwischen dem indianischen und dem europäischen Amerika verstanden werden. Zweifellos reflektieren sie diesen Konflikt, und zwar so, daß sie die geistige Zerrissenheit Lateinamerikas bewußt artikulieren und dokumentieren. Ihre besondere Bedeutung für uns liegt hier jedoch nicht darin. Wichtiger ist - zumindest in unserem Zusammenhang -, daß sie als Grundposition die zwei Größen, die sich als Referenzpunkte für die Bestimmung der "latinoamericanidad" spontan anbieten, zu festen Standpunkten machen, von denen aus der interkulturelle Konflikt zwangsläufig im Sinne eines unversöhnlichen Gegensatzes thematisiert wird. Deshalb ist übrigens der Streit um die lateinamerikanische Kultur nicht ohne Tragik. Denn gleichgültig, ob der Lateinamerikaner sich nun auf den Boden der einen oder anderen Grundposition stellt, sieht er sich doch dazu verurteilt, ein Kapitel lateinamerikanischer Geschichte zu verleugnen. Die Einsicht in die verheerenden Folgen dieser Zwangslage sollte dann zur Herausarbeitung und progressiven Durchsetzung der Alternative des sogenannten "mestizaje cultural latinoamericano" führen; eine Alternative allerdings, die - weil sie doch keine harmonische, gelungene Synthese darstellt - die grundlegende Konfliktsituation nicht zu überwinden vermag. Aber kommen wir zu unserem Anliegen zurück.

Die Hervorhebung der eben grob skizzierten Grundpositionen sowie der dabei vollzogenen Thematisierung des Konflikts als radikaler Gegensatz war für uns deswegen so wichtig, weil dadurch die kulturgeschichtliche Grundlage zur Sprache kommt, auf der um 1840 in Argentinien die Frage um die lateinamerikanische Kultur ganz konkret in der Alternative "Civilización o Barbarie" polarisiert wird. Und das ist genau der kulturgeschichtliche Kontext, in dem Juan Bautista Alberdi die Frage nach der lateinamerikanischen Philosophie stellt. Als Orientierungshilfe für das bessere Verständnis dieses Zusammenhangs darf noch auf folgende Aspekte hingewiesen werden:
1) Ausdrücklich thematisiert wird die Alternative "Zivilisation - Barbarei"

von Domingo Faustino Sarmiento (Argentinien, 1811 - 1888), dessen Hauptwerk *Facundo* bereits im Untertitel (*Facundo, o Civilización y Barbarie*) die Polarisierung eindeutig zeigt. Sarmiento - für den Zivilisation europäisch und nur europäisch sein kann - gilt aber als einer der Hauptvertreter jener Grundposition, die Amerika einzig und allein von Europa aus bestimmen wollen, wobei angemerkt werden muß, daß das Europa, das hier als Leitbild postuliert wird, nicht das iberische, sondern das französisch-angelsächsische Europa ist.

2) Die Alternative "Zivilisation - Barbarei" meint deshalb bei Sarmiento nicht nur den Antagonismus zwischen dem indianischen und dem europäischen Südamerika. Unter dem Einfluß der französisch-angelsächsischen Aufklärung wird auch das spanische Kolonialerbe als Barbarei abgetan. Gegenüber stehen sich also das indianische Amerika und das von der iberischen Halbinsel geprägte Amerika der Mestizen einerseits und andererseits das Amerika, das sich im modernen Geist der Aufklärung verstehen und bestimmen will.

Und 3) Als direkter Ausdruck der sich im Lateinamerika des 19. Jahrhunderts durchsetzenden französisch-angelsächsischen Aufklärung konkretisiert sich die Option für die Zivilisation - so wie in Sarmientos Ansatz gefordert wird - in einem kulturpolitischen und sozialökonomischen Programm, dessen Hauptziel die vollkommene Europäisierung Südamerikas ist.

Aus dem Gesagten geht hervor, daß Alberdi die Frage nach der lateinamerikanischen Philosophie in einem kulturgeschichtlichen Kontext stellt, der sich durch die Radikalisierung des Streits um die lateinamerikanische Kultur auszeichnet. Diese Radikalisierung, die sich in der Entgegensetzung "Civilización o Barbarie" äußert, ist - wie oben angedeutet - als unmittelbare Konsequenz der sogenannten zweiten kulturellen Invasion des Kontinents, nämlich der Durchsetzung der französisch-angelsächsischen Aufklärung zu betrachten. (3) Der Kontext, in dem die Frage nach der lateinamerikanischen Philosophie gestellt wird, läßt sich demnach näher bestimmen, und zwar als der Kontext, in dem die Ansicht der Orientierung an Europa, genauer, an Frankreich und England sich eindeutig durchsetzt. Das gilt besonders für Argentinien, wo die Orientierung an Europa zur gewollten Imitation wird. Man verleugnet das eigene Sein, seine eigene Geschichte und Vergangenheit, weil man *wie* die Europäer sein will. Diese Wende zum imitatorischen Seinsentwurf kommt unmißverständlich im europäisierenden Ansatz der "joven generación" ans Licht, bei jener argentinischen Intellektuellen-Generation also, zu der Alberdi gehört. Ihr Losungswort lautete gerade: "Ser europeos en América", wie José Mármol (Argentinien, 1818 - 1971) den Protagonisten seines Romans *Amalia* lapidarisch formulieren läßt. (5)

Vor dem erörterten kulturgeschichtlichen Zusammenhang gilt es nun zu untersuchen, wie Alberdi die Frage nach der lateinamerikanischen Philosophie aufwirft, d.h. von welchem Verständnis der südamerikanischen Situation und auf welche Ziele hin er seine Forderung nach einer amerikanischen Philosophie konzipiert. Dieser Problematik widmen wir uns in dem folgenden Abschnitt, indem wir versuchen, Selbstverständnis und Charakter, Methode und Aufgabe der lateinamerikanischen Philosophie nach Alberdi zu durchleuchten. Diese Darstellung soll die Basis dafür schaffen, Alberdis Konzept der lateinamerikanischen Philosophie dahingehend hinterfragen zu können, ob es als eine Art Gegenkraft bzw. Reaktion auf die in seiner Generation dominierende Tendenz zur Europäisierung Südamerikas verstanden werden kann oder nicht. Diese Frage soll aber erst im dritten Abschnitt behandelt werden.

2. Die Frage nach der lateinamerikanischen Philosophie bei Juan Bautista Alberdi

Obwohl Alberdi kein Philosoph im strengen Sinne des Wortes war (von Haus aus war er Jurist), (6) nimmt er doch einen festen Platz in der Geschichte der Philosophie in Lateinamerika ein, und in der Diskussion um die Existenz der lateinamerikanischen Philosophie spielt er sogar eine wesentliche Rolle. Der Grund dafür ist der, daß Alberdi der erste lateinamerikanische Intellektuelle ist, der die problematischen Begriffe "filosofía nacional" bzw. "filosofía americana" gebraucht hat. Bei ihm wird also zum ersten Mal versucht, die Philosophie mit der Wirklichkeit Lateinamerikas zu verknüpfen, und zwar so wesentlich, daß der daraus resultierende Begriff "filosofía americana" für eine Philosophie steht, die die Bestimmung ihres Selbstverständnisses und ihrer Funktion von Lateinamerika aus gewinnen soll. Das war zugleich der explizite Anfang der Debatte um die lateinamerikanische Philosophie. Uns soll hier allerdings weder diese Debatte noch Alberdis Rolle in ihr interessieren. Im Zusammenhang des vorliegenden Kapitels darf sich vielmehr unser Augenmerk allein auf Alberdis Auffassung der lateinamerikanischen Philosophie richten. Für uns muß daher nun in den Mittelpunkt die Frage rücken: Was hat Alberdi unter "amerikanischer Philosophie" eigentlich verstanden?

Der Ausgangspunkt für die Beantwortung dieser Frage ist zweifellos die Doktorarbeit von Alberdi, die 1837 mit dem Titel *Fragmento preliminar al estudio del Derecho* erschien. In dieser Jugendschrift bringt Alberdi zum ersten Mal seine Forderung nach Herausarbeitung einer nationalen bzw. amerikanischen Philosophie zum Ausdruck. Bezeichnend für Alberdis Ansatz in diesem Werk ist allerdings die Tatsache, daß er ganz auf der Basis und im Geiste des romantischen Historizismus für die amerikanische Philosophie plädiert. Für ihn ist die Philosophie daher Wissenschaft von der universalen, in ihren Prinzipien gleichbleibenden Vernunft, zugleich aber auch von der historischen Vernunft, worunter die Manifestationen zu verstehen sind, in denen sich die ewige Vernunft geschichtlich divers konkretisiert. Und auch deshalb will Alberdi seine Forderung nach einer nationalen bzw. amerikanischen Philosophie nicht als Negation der Universalität der Philosophie verstanden wissen. Als Ausdruck des Nationalbewußtseins steht zwar die nationale Philosophie für die Selbstfindung, d.h. für die bewußte Rückbesinnung des Volkes auf seine ureigenen Lebensformen und somit auch für die geistige Emanzipation der Nation, sie hat jedoch mit philosophischem Nationalismus oder Regionalismus überhaupt nichts zu tun, und zwar deswegen nicht, weil sie das Nationale nicht gegen das Universale ausspielt; noch versucht sie, die nationalen Bedingungen und Bedürfnisse, von denen sie ausgeht, als Grund dafür anzugeben, das in ihr reflektierte Nationalbewußtsein von der allgemeinen vernünftigen Entwicklung der Menschheit abzukoppeln. Indem sie die Universalität der Vernunft geschichtlich konkretisiert, versteht sich die nationale Philosophie vielmehr als historische Inkarnation der Vernunft; eine Inkarnation, die die universale

Vernunft nicht nur nicht negiert, sondern sie sogar als Bedingung ihrer Möglichkeit voraussetzt. Alberdi drückt die innere Zusammengehörigkeit von nationaler Philosophie und universaler Vernunft folgendermaßen aus: "ensanchar la razón universal, es crear la filosofía nacional y, por tanto, la emancipación nacional." (7)

Zusammenfassend darf also gesagt werden, daß die 1837 von Alberdi geforderte nationale Philosophie keine Alternative zur universalen Philosophie darstellt, weil ihre Partikularität in und durch Anwendung der allgemeinen Vernunftsprinzipien gewonnen wird. Die Herausarbeitung der nationalen Philosophie ist also eine Aufgabe, die nicht gegen, sondern innerhalb der Geschichte der universalen Vernunft und im Hinblick auf ihre konkretisierende Erweiterung vollzogen werden soll. Deshalb - und dieser Aspekt sei hier nur nebenbei vermerkt - impliziert Alberdis anfängliche Auffassung der amerikanischen Philosophie keinen Bruch mit der europäischen philosophischen Tradition.

Versucht Alberdi also in seinem Konzept aus dem Jahre 1837, die Notwendigkeit der nationalen Philosophie auf der Basis grundlegender Harmonie mit der universalen Philosophie zu erörtern, so ist bereits fünf Jahre später eine wesentliche Kursänderung in seinem Ansatz festzustellen. In der Einleitung zu seiner Vorlesung über amerikanische Philosophie in Montevideo 1842 radikalisiert Alberdi in der Tat seinen früheren Entwurf, indem er nunmehr den Akzent ganz eindeutig auf die historische, durch die nationalen Bedingungen und Bedürfnisse formierte Vernunft legt. Zu Recht vermerkt Diego F. Pró: "Aquí su historicismo se muestra todavía más rotundo que en sus páginas anteriores. Hasta niega la existencia de la filosofía universal. Sólo existen las filosofías particulares." (8)

Die der Einleitung von 1842 zugrunde liegende Radikalisierung der historizistischen Perspektive kann tatsächlich den Eindruck vermitteln, als ob Alberdi bei der Formulierung seiner Forderung nach Herausarbeitung der amerikanischen Philosophie nun doch die Negation der Universalität der Vernunft bzw. der Philosophie voraussetzen würde. Und eine Stelle aus dieser Schrift, die mit dem Titel *Ideas para presidir a la confección del curso de filosofía contemporánea* bekannt ist, scheint diesen Eindruck sogar zu bestätigen. Die Stelle lautet: "No hay, pues, una filosofía universal, porque no hay una solución universal de las cuestiones que la constituyen en el fondo. Cada país, cada época, cada filósofo ha tenido su filosofía peculiar, que ha cundido más o menos, que ha durado mas o menos, porque cada país, cada época y cada escuela han dado soluciones distintas de los problemas del espíritu humano." (9) Sicherlich zeigt die eben angeführte Stelle, daß Alberdi 1842 - wie gesagt - eine wesentliche Kursänderung in seinem Ansatz vornimmt. Nur läßt sich diese Kurskorrektur nicht einfach im Sinn einer pauschalen Negation der Universalität der Philosophie deuten. Die Dinge liegen doch etwas komplizierter. Aus diesem Grund soll im folgenden versucht werden, Alberdis Text von 1842 ausführlich zu untersuchen.

Zunächst möchten wir auf die oben zitierte Stelle zurückkommen, denn sie ist die Stelle, an der Alberdi seine neue Ausgangsposition festlegt. An der Stelle - wie bereits gesehen - sagt Alberdi scheinbar unmißverständlich, daß es keine universale Philosophie gibt. Aber wie ist diese Aussage wirklich zu verstehen? Was ist eigentlich damit gemeint? Eine erste Annäherung an die wahre Intention dieser Eingangsbehauptung Alberdis kann bereits anhand der Begründung gewonnen werden, durch welche er seine Aussage einsichtig machen will. Da wird nämlich die Unmöglichkeit einer universalen Philosophie auf die Tatsache zurückgeführt, daß es keine zeitlose allgemeingültige Lösung für die Probleme der Entwicklung der Menschheit gibt. In diesem Zusammenhang - so darf man folgern - steht der Begriff "universale Philosophie" nicht für die Philosophie als Wissenschaft von der Vernunft und ihren Prinzipien, sondern eher für jene philosophischen Systeme, die - gerade weil sie sich als Vollendung der Philosophie schlechthin verstehen - den Anspruch erheben, die Fragen der Menschheit gelöst zu haben, und zwar mit verbindlicher Allgemeingültigkeit für alle Völker und Zeiten. Alberdi akzentuiert also das Verhältnis der Philosophie zur Zeit, d.h. zu der Epoche, in der sie steht und zu der sie notwendigerweise gehört. Mehr noch, er versteht die Notwendigkeit und Gültigkeit der Philosophie in enger Verbindung zu den konkreten Problemen der Epoche, in der sie jeweils steht. Die Notwendigkeit der Philosophie ist somit historisch relativ. Mit anderen Worten, die Notwendigkeit der Philosophie ist die Notwendigkeit ihrer Epoche, und daher tragen ihre Lösungen immer den Stempel der Zeit, die sie reflektiert, mit. Von hier aus können wir nun den Sinn von Alberdis Aussage genauer fassen. Negiert wird die universale Philosophie nur insofern, als dieser Begriff nun offenbar eine Philosophie meint, die über der Zeit schwebt bzw. sich über die Notwendigkeit ihrer Zeit hinwegsetzen will. Der Satz: "Es gibt keine universale Philosophie", will demnach besagen: Es gibt keine zeitlosen philosophischen Konstruktionen.

Daß unsere Interpretation immanenten Charakter hat und daß sie deshalb Alberdis eigentlicher Intention entspricht, läßt sich anhand anderer Stellen aus dem Text von 1842 zeigen. Gemeint sind jene Stellen, an denen Alberdi selbst zur Klärung des gebrauchten Begriffes "universale Philosophie" beiträgt, und zwar dadurch, daß er die von ihm negierte universale Philosophie als "filosofía definitiva" (10) bzw. "filosofía completa" (11) bezeichnet, um damit gerade vor jeder angeblich zeitlosen Philosophie, die sich als definitive, vollkommene Lösung der Fragen der Menschheit darstellt, zu warnen.

Zur Fundierung unserer Deutung können wir aber auch andere Stellen heranziehen, wo Alberdi die fundamentale Einheit der Philosophie bejaht. Z.B. diese: "La filosofía ... no se nacionaliza por la naturaleza de sus objetos, procederes, medios y fines. La naturaleza de esos objetos, procederes, etc., es la misma en todas partes. Qué se hace en todas partes cuando se filosofa? Se observa, se concibe, se razona, se induce, se concluye. En este sentido, pues, no hay más que una filosofía." (12) Oder jene andere Stelle, an der von der Philosophie als "una en sus elementos fundamentales" (13) gesprochen wird. Diese Stellen sprechen für unsere Interpretation, weil sie zeigen, daß Alberdi weiterhin an der fundamentalen Einheit und Universalität der Philosophie festhält und daß deshalb seine dezidierte Ablehnung der universalen Philosophie eigentlich nur in dem oben erwähnten Sinn zu verstehen ist.

Wenn die Universalität der Philosophie aber nicht grundsätzlich negiert wird, worin besteht dann der Unterschied zu der 1837 entworfenen Position? Darin, daß durch die Radikalisierung des historizistischen Ansatzes der Gehalt der philosophischen Universalität wirklich auf ein Mindestmaß reduziert wird. Wir müssen in der Tat zugeben, daß Alberdi in seinem Text von 1842 die Einheit bzw. Universalität der Philosophie auf das Minimum der vernünftigen Argumentation einschränkt. Universal ist in der Philosophie nur das Prinzip der Vernunft als absolutes Kriterium für die Suche nach der Wahrheit und nach den Lösungen der jeweiligen Probleme der Menschheit. Einfacher gesagt: allgemeingültig ist in der Philosophie nur der Rekurs auf Vernunft. Wie nun der Rekurs auf Vernunft aussehen soll, d.h. von wo aus und woraufhin er vollzogen werden soll, das ist allerdings eine Frage, die sich nicht mehr allgemeingültig festlegen läßt. Das heißt: Für Alberdi - und hier kommt eine weitere Konsequenz der Verschärfung des historizistischen Ansatzes zu Tage - muß das an sich universale Kriterium der Vernunft von der Notwendigkeit der Zeit her bestimmt werden, wobei die zeitliche Bestimmung der Vernunft nicht mehr im Zeichen der konkretisierenden Erweiterung derselben steht. Zeitlich bestimmte Vernunft ist in erster Linie kein bloßes Kapitel der allgemeinen Geschichte der Vernunft, sondern vielmehr der historisch autonome Ausdruck, in dem die Selbständigkeit in Gebrauch und Anwendung der Vernunft bezeugt wird. Die Universalität der Vernunft wird damit nicht aufgehoben, sie tritt allerdings völlig in den Hintergrund. Alberdi geht es primär um die historische, d.h. um die durch die geschichtliche Situation normierte Vernunft; eine Vernunft, die nach ihm deshalb für geistige Emanzipation steht, weil sie die eigentümliche, im Horizont ihrer konkreten Bedingungen und Bedürfnisse von einer bestimmter Volksgemeinschaft geleistete Reflexion ist. Entscheidend für die Konstitution sowie für den Fortschritt der historischen Vernunft ist daher - wie Alberdi selbst betont - allein die "nacionalidad". (14) Sie stellt die fundamentale Rahmenbedingung dafür dar, daß ein Volk bzw. eine Nation die Vernunft von sich aus und auf konkrete historische Zielsetzungen hin zu bestimmen vermag. Hier liegt übrigens der Grund, weshalb die Frage: "Von wo aus" und "Woraufhin" realisiert sich Vernunft?, keine allgemeingültige Antwort erhalten kann. Darüber entscheidet doch die "nacionalidad".

Damit steht für Alberdi zugleich die "nacionalidad" als maßgebender Referenzpunkt für die Herausbildung der lateinamerikanischen Philosophie fest. Als "amerikanisch" wird sich also nur jene Philosophie auszeichnen können, die der nationalen Eigentümlichkeit der südamerikanischen Länder entspruießt und entspricht. Lapidar sagt Alberdi hierzu: "Nuestra filosofía, pues, ha de salir de nuestras necesidades." (15) Gefordert wird demnach nicht eine Philosophie über Amerika oder seine Probleme, sondern eine Philosophie, die die Probleme und Bedürfnisse Südamerikas zum Maßstab für ihre Selbstbestimmung macht und sich somit eben als "amerikanische Philosophie", d.h. als die Philosophie qualifiziert, deren Reflexion für die amerikanische Sicht der amerikanischen Wirklichkeit steht, und zwar deshalb, weil sie von Südamerika aus und auf Südamerika hin denkt. In diesem Sinne ist die von Alberdi geforderte lateinamerikanische Philosophie eine partikuläre Philosophie, die sicherlich keine eigentümlich "amerikanische Vernunft" stiftet, wohl aber die amerikanische Autonomie in Gebrauch und Anwendung der Vernunft manifestieren soll.

Alberdis Gedanke der "nacionalidad" (als Fundament für die Realisierung von Vernunft und Philosophie) konkretisiert sich also in der Darstellung der historischen Situation Südamerikas als Hypothek für die Philosophie. Wir haben gerade gesehen, wie die Philosophie sich nach den Problemen und Bedürfnissen der lateinamerikanischen Nationen zu richten hat. In Südamerika muß die Philosophie durch die südamerikanische Situation bestimmt werden, soviel können wir festhalten. Aber wie bestimmt Alberdi die südamerikanische Situation, die die amerikanische Philosophie bestimmen muß? Die Bedeutung dieser Frage liegt auf der Hand. Denn - gerade weil die historische Situation Südamerikas eine Hypothek für die Philosophie darstellt - wird die Definition des Charakters und der Funktion der Philosophie in Amerika vom Verständnis der historischen Situation abhängen. Bevor wir Alberdis Auffassung der lateinamerikanischen Philosophie weiter erörtern, müssen wir also danach fragen, wie Alberdi Südamerika verstand, genauer, worin lagen für ihn die Probleme und Bedürfnisse Südamerikas, die den Horizont der philosophischen Reflexion in dieser Region der Welt abstecken sollten.

In der Schrift von 1842 läßt Alberdi keinen Zweifel daran, daß im Mittelpunkt seines Amerika-Verständnisses die Zivilisation und der Fortschritt als programmatische Leitvorstellungen stehen. Südamerika hat zwar die politische Unabhängigkeit vom spanischen Kolonialismus erkämpft, damit ist jedoch die Frage des historischen Schicksals der südamerikanischen Völker noch nicht entschieden. Die eigentliche Aufgabe steht noch bevor. Und sie lautet: Wie kann man aus Südamerika einen zivilisierten, fortschrittlichen Kontinent machen? Angesichts des immer noch wirkenden und für rückständig gehaltenen spanischen Kolonialerbes sieht Alberdi die Dringlichkeit der historischen Situation Südamerikas darin, ein sozialpolitisches Programm zu entwerfen, das die kolonialen Überreste aufhebt und somit Südamerika zu Wohlstand und Demokratie führt. Im sozialpolitischen Programm von Alberdi sollen also Zivilisation und Fortschritt den absoluten Vorrang haben. Sie sind ja das eigentliche Problem, vor dem Südamerika steht. So sagt er: "Civilizarnos, mejorarnos, perfeccionarnos, según nuestras necesidades y nuestros medios: he cquí nuestros destinos nacionales que se resumen en esta fórmula: - Progreso ..." (16)

Noch genauer formuliert Alberdi aber sein Verständnis der Probleme Südamerikas an einer anderen Stelle, wo er die Prioritäten, die sich für ihn aus der geschichtlichen Lage Südamerikas ergeben, beim Namen nennt. Da heißt es: " ¿Cuáles son los problemas que la América está llamada a establecer y resolver en estos momentos? - Son los de la libertad, de los derechos y goces sociales de que el hombre puede disfrutar en el más alto grado en el orden social y político; son los de la crganización pública más adecuada a las exigencias de la naturaleza perfectible del hombre, en el suelo americano." (17)

Für die weitere Erörterung der Auffassung der lateinamerikanischen Philosophie bei Alberdi ist diese Stelle selbstverständlich besonders aufschlußreich. Sie faßt ja Alberdis Bestimmung der historischen Situation Südamerikas zusammen und gibt somit den Verstehenshorizont, von dem cus die Philosophie in Südamerika bestimmt wird, an. Wir können also jetzt einen Schritt weitergehen und Alberdis Auffassung der lateinamerikanischen Philosophie näher erläutern, und zwar dadurch, daß wir den Auswirkungen seines Amerika-Verständnisses auf die Philosophie nachgehen

Aus Alberdis Deutung der südamerikanischen Situation läßt sich für die Philosophie erstens die allgemeine, doch entscheidende Konsequenz ableiten, daß die Philosophie in Amerika sich nach einer historischen Wirklichkeit zu richten hat, die hauptsächlich Probleme praktischer, sozialpolitischer Natur aufweist. Das heißt: die Philosophie, will sie ame-

rikanisch sein, dann muß sie diese Probleme als ihre eigentlichen Grundfragen anerkennen und alles daran setzen, sie zu lösen. Und da - wie
gesagt - diese Probleme praktischer, sozialpolitischer Natur sind, heißt
das auch, daß die lateinamerikanische Philosophie von Haus aus prak-
tisch, sozialpolitisch ausgerichtet sein muß. Alberdi selbst drückt diese
Konsequenz mit sehr deutlichen Worten aus: "... la filosofía americana
debe ser esencialmente política y social en su objeto." (18) Damit steht
für Alberdi zugleich der Charakter der lateinamerikanischen Philosophie
fest: "En América no es admisible la filosofía en otro carácter." (19)
Die lateinamerikanische Philosophie kann demnach nur praktische, sozialpolitische Philosophie sein.

Alberdis Bestimmung der geschichtlichen Situation Südamerikas wirkt
sich zweitens auf die Methode der lateinamerikanischen Philosophie aus.
Konsequent mit seiner Definition der lateinamerikanischen Philosophie
als praktische Philosophie hält Alberdi das "positive Verfahren" für die
Methode, durch welche sich die lateinamerikanische Philosophie auszeichnen soll, worunter die radikale Orientierung an der vorhandenen
Wirklichkeit verstanden wird. Diese Methode, die man auch als konsequente Rückkehr zur Realität bezeichnen kann, soll die Konstitution
der lateinamerikanischen Philosophie garantieren, und zwar im Sinne einer realistischen Philosophie, deren methodische Eigentümlichkeit gerade
darin bestehen wird, "filosofía aplicada a los intereses sociales, políticos, religiosos y morales de estos países" (20) zu sein. Als "filosofía
aplicada" ist allerdings die lateinamerikanische Philosophie eine solche,
die methodisch - und hier kommt die Rückwirkung von Alberdis Ameri-
ka-Verständnis voll ans Licht - jeden theologischen, metaphysischen, rein
abstrakten bzw. spekulativen Ansatz von vornherein ablehnt. Angesichts
der prioritären Aufgaben, mit denen die Philosophie in Amerika konfrontiert wird, muß ja reine Spekulation als völlig sinnlos und steril erscheinen. Ihrer Natur gemäß verlangen die Probleme Südamerikas keine
abstrakten philosophischen Konstruktionen, sondern praktische Lösungen;
Lösungen, die ihrerseits nur durch die konsequente Anwendung des "positiven Verfahrens" zu erreichen sind. Die Absage an Abstraktion und
Metaphysik soll ferner für Alberdi ein bleibendes Element der positiven
Methode der lateinamerikanischen Philosophie darstellen. So stellt er
richtungsweisend fest: "La abstracción pura, la metafísica en sí, no
echará raíces en América." (21)

Hervorzuheben ist drittens jene Auswirkung, die sich in der von Alberdi vorgeschlagenen Aufgliederung der lateinamerikanischen Philosophie
konkretisiert. Im Lichte seiner Bestimmung der geschichtlichen Bedürfnisse der südamerikanischen Nationen will Alberdi in der Tat das Spektrum der philosophischen Reflexion auf folgende Bereiche eingeschränkt
wissen: Öffentliches Recht, Politik, Literatur, Moral, Religion und Geschichte. Dementsprechend fällt bei Alberdi also die fachliche Differenzierung der lateinamerikanischen Philosophie so aus: "la filosofía política, la filosofía de nuestra industria y riqueza, la filosofía de nuestra
literatura, la filosofía de nuestra religión y nuestra historia." (22) Auf-
fallen muß bei dieser Aufgliederung ihre grundsätzliche Übereinstimmung
mit Alberdis Konzept von Charakter und Methode der lateinamerikanischen Philosophie. Exemplarisch dokumentiert sie doch die praktische,
positive Grundausrichtung der lateinamerikanischen Philosophie, indem
sie aus ihrem Forschungshorizont jedes spekulative Wissenschaftsgebiet
verbannt bzw. implizit für unangemessen erklärt.

Aber auch die Funktion, die Alberdi der lateinamerikanischen Philosophie zuweist, zeigt sich eindeutig als Rückwirkung seiner Amerika-In-
terpretation. Diese vierte und letzte Auswirkung, der wir hier nachgehen wollen, steht ebenso wie die dritte auf der Linie der praktisch-po-
sitiven Konstitution der lateinamerikanischen Philosophie und kann im
Grunde komplementär zu ihr verstanden werden. In der Tat erörtert
Alberdi die Funktion der lateinamerikanischen Philosophie als Komple-
ment zu ihrem sozialpolitischen Charakter. Ihre Funktion muß demnach
darin bestehen, zur Durchsetzung und Entfaltung der zivilisatorischen
Dynamik in den Ländern Südamerikas beizutragen. Wie? Indem sie sich
die Grundprinzipien des liberal-republikanischen Geistes ("libertad, igual-
dad, asociación" (23)) aneignet und die ideologischen Bedingungen für
ihre Aktualisierung in Amerika durch die Zerstörung der Überreste aus
der kolonialen Vergangenheit vorbereitet. (24) Von der lateinamerikanischen Philosophie und insbesondere von ihrer sozialpolitischen Funktion
kann deshalb Alberdi sagen, daß sie "republicana en su espíritu y destinos" (25) sein muß. Alberdis Verständnis der Funktion der lateinamerikanischen Philosophie macht übrigens offensichtlich, daß sein politischer
Standort der Liberalismus des 19. Jahrhunderts ist und daß für ihn folglich Amerika die Ziele von Zivilisation und Fortschritt nur im Rahmen
der liberalen sozialpolitischen Ordnung erreichen kann.

Die vorangehenden Ausführungen haben gezeigt, wie Alberdis Deutung der Probleme und Bedürfnisse Südamerikas eine direkte Rückwirkung auf seine Auffassung von Charakter und Methode, von Aufglie-
rung und Funktion der lateinamerikanischen Philosophie hat. Damit haben wir zugleich seine Auffassung der lateinamerikanischen Philosophie
in ihren einzelnen, komplementären Aspekten eingehend darlegen können.
Zusammenfassend dürfen wir also sagen: Alberdis weiter oben zitierter
und in seiner eigentlichen Bedeutung kaum erörterter Grundsatz, der
besagt: "die amerikanische Philosophie muß aus den amerikanischen Bedürfnissen entspringen", ist inhaltlich bestimmt worden, und deshalb
wissen wir nun nicht nur, daß die Bedürfnisse Südamerikas die Philosophie zu bestimmen haben, sondern auch *wie* sie die Philosophie bestimmen und *warum* sie die Philosophie so und nicht anders bestimmen. Die
genauere Erörterung von Alberdis Auffassung der lateinamerikanischen
Philosophie haben wir ja doch auf der Basis der Hinterfragung seiner
Bestimmung der südamerikanischen Bedürfnisse gewonnen.

Mit unserer Erörterungen in diesem Abschnitt haben wir andererseits
die Voraussetzung dafür gegeben, Alberdis Konzept der lateinamerikanischen Philosophie im Hinblick auf die Authentizität seines amerikanischen Ansatzes kritisch befragen zu können. Das ist aber der Gegenstand des folgenden dritten Abschnitts.

3. Zur Kritik der Auffassung der lateinamerikanischen Philosophie bei Alberdi

Wie im ersten Abschnitt gezeigt wurde, stellt Alberdi die Frage nach
der lateinamerikanischen Philosophie in einem kulturgeschichtlichen Zusammenhang, der durch die Polarisierung des Streits um die lateinamerikanische Kultur in den Gegensätzen "Civilización - Barbarie" charakte-

risiert wird. Ferner wurde dort auch darauf hingewiesen, daß die Option für die Zivilisation, die in diesem Kontext von einem bedeutenden Teil der südamerikanischen Intelligenz getroffen wird, auf den Einfluß des im Südamerika des 19. Jahrhunderts sich durchsetzenden Geistes der französisch-angelsächsischen Aufklärung zurückzuführen ist. Deshalb war damals die Option für die Zivilisation zugleich Option für die Europäisierung Südamerikas. Alberdi wirft also die Frage nach der lateinamerikanischen Philosophie in einem Kontext auf, in dem - genau betrachtet - die Tendenz der Europäisierung mit besonderer Berücksichtigung von England und Frankreich eine dominierende Position einnimmt. Mehr noch, er gehörte - wie bereits erwähnt - zu jener Generation, die das Anliegen der Europäisierung Südamerikas in den Mittelpunkt ihres geistigen und politischen Engagements gestellt hatte.

Vor diesem Hintergrund soll jetzt der Frage nachgegangen werden, ob Alberdis Ansatz zur Herausarbeitung der lateinamerikanischen Philosophie sich von der in seiner Generation vorherrschenden europäisierenden Tendenz absetzt und ob er dieser Tendenz doch noch verhaftet bleibt. Anders gesagt: uns geht es hier um die Authentizität des lateinamerikanischen Ansatzes bei Alberdi. Unsere Frage kann deshalb auch so formuliert werden: Wie "lateinamerikanisch" ist Alberdis lateinamerikanische Philosophie? Aber ist diese Frage überhaupt berechtigt? Ist die Bezeichnung "filosofía americana" nicht bereits der Beweis für ihren spezifisch lateinamerikanischen Charakter? Gerade bei diesem möglichen Kurzschluß soll unsere Kritik ansetzen.

Schon deswegen, weil ganz ausdrücklich von "filosofía americana" gesprochen wird, kann zwar die Vermutung naheliegen, daß es sich tatsächlich um spezifische lateinamerikanische Philosophie handeln muß. Der Name "filosofía americana" spricht ja - wie im zweiten Abschnitt angesprochen - für Alberdis Versuch, Philosophie und lateinamerikanische Wirklichkeit wesenhaft zu verbinden. Diese Bezeichnung darf allerdings nicht über die Fragwürdigkeit der lateinamerikanischen Authentizität von Alberdis Konzept hinwegtäuschen. Zur Äußerung dieser kritischen Feststellung veranlassen uns folgende Gründe, die zugleich die Begründung unserer Kritik ausmachen werden:

1) Der Begriff "filosofía americana" steht bei Alberdi zwar für die Bestimmung der Philosophie durch die lateinamerikanische Situation. Nur versteht er Lateinamerika nicht lateinamerikanisch, sondern vom europäisierenden Ansatz seiner Generation her und optiert für ein Lateinamerika, das allein auf der Grundlage der europäischen (sprich: französisch-angelsächsischen) Zivilisation neu rekonstruiert werden soll. Die lateinamerikanische Situation, die die Philosophie in Südamerika lateinamerikanisch bestimmen sollte, ist somit fremdbestimmt und kann deshalb nur zur Überfremdung der Philosophie im lateinamerikanischen Kulturraum beitragen.

2) Überfremdet ist Alberdis "filosofía americana" nicht nur deshalb, weil sie ganz ausschließlich im Dienste der europäisch verstandenen Dynamik von Zivilisation und Fortschritt steht. Darüber hinaus muß festgestellt werden, daß Alberdis "filosofía americana" - gerade weil sie einer fremdbestimmten lateinamerikanischen Situation entspringt - eigentlich keine lateinamerikanische Wurzel hat. Diese Philosophie denkt nicht aus der lateinamerikanischen Kulturtradition heraus, weil sie einfach nicht

darin eingewurzelt ist oder, anders ausgedrückt, weil sie aus Europa und insbesondere aus Frankreich kommt. Das läßt sich relativ leicht anhand der Schrift von 1842 belegen. Die Frage, die in dieser Schrift die Suche nach der "filosofía americana" leitet, ist die: "¿Qué filosofía es la que pauede convenir a nuestra juventud?" (26) Gesucht wird also die Philosophie, die Südamerika am besten brauchen bzw. die Südamerika am meisten nutzen kann. Solche Philosophie wird jedoch nicht im Rekurs auf die eigene Denktradition gesucht. Vielmehr orientiert sich Alberdi dabei an der europäischen Philosophie des 19. Jahrhunderts, wobei die französische Philosophie - mit der Alberdi vor allem die Namen von Lamennais, Tocqueville, Jouffroy, Lerroux, Carnot und Lerminier verbindet - als die für Südamerika angemessenste Philosophie hervorgehoben wird. Wegen der Bedeutung für unsere Argumentation darf hier noch ausdrücklich auf Alberdis Begründung für seine Entscheidung zugunsten der französischen Philosophie hingewiesen werden. Da ist nämlich zu sehen, wie diese Entscheidung auf die praktische Grundausrichtung der französischen Philosophie, vor allem aber auf die für Alberdi unbestreitbare Verwandtschaft des französischen Geistes mit dem lateinamerikanischen Charakter zurückgeführt wird. Hier die entscheidende Passage: "El pueblo de Europa que por las formas de su inteligencia y de su carácter está destinado a presidir la educación en estos países es sin contradicción la Francia: el mediodía mismo de la Europa le pertenece bajo este aspecto; y nosotros también meridionales de origen y de situación pertenecemos de derecho a su iniciativa inteligente." (27) Diese Stelle bestätigt übrigens auch Alberdis europäisierende Sicht der lateinamerikanischen Realität. Die Herkunft Südamerikas scheint für ihn allein Europa zu sein.

3) Alberdis "filosofía americana", wie die Entscheidung für die französische Philosophie wohl andeutet, ist im Grunde nichts anderes als das Produkt der Anwendung der europäischen bzw. französischen Philosophie auf die europäisch interpretierte lateinamerikanische Situation. "... la América practica lo que piensa la Europa" (28) schreibt Alberdi an einer anderen Stelle seiner Schrift von 1842, um damit eben den Gedanken zu signalisieren, daß die lateinamerikanische Philosophie sich gerade durch die im Hinblick auf die Anwendung in Südamerika vollzogene Selektion des in Europa Gedachten auszeichnen soll. Es wäre sicherlich eine unredliche Überspitzung, wollte man aus dieser Stelle folgern, daß Alberdi der lateinamerikanischen Philosophie Denkverbot erteilt. Wenn aber der Satz, wie es in der Tat der Fall ist, die Betonung der lateinamerikanischen Philosophie als rein praktische "filosofía de aplicación" (29) zur Sprache bringen soll, dann muß man sich doch fragen, ob damit die schöpferischen Entwicklungsmöglichkeiten der lateinamerikanischen Philosophie von vornherein nicht erheblich beeinträchtigt werden.

Unserer Meinung nach sprechen die angeführten Gründe eindeutig dafür, daß Alberdis Entwurf der "filosofía americana" auf keinen Fall im Sinne einer spezifischen lateinamerikanischen Philosophie verstanden werden kann. Sein Ansatz bleibt doch der europäisierenden Grundtendenz seiner Generation verhaftet. Mehr als ein Beitrag zur konsequenten Inkulturation der Philosophie in Lateinamerika stellt deshalb sein Entwurf eher einen Beitrag zur Transplantation der europäischen Philosophie, ja sogar der europäischen Kultur überhaupt dar. Damit soll selbstverständlich weder Alberdis Bedeutung in der lateinamerikanischen Geistesentwicklung noch die Relevanz seiner Forderung nach der "filosofía americana" für die spätere Debatte um eine authentische Philosophie Lateinamerikas geschmälert werden. Die Intention unserer Kritik ist lediglich die, auf die Grenzen seines Ansatzes hinzuweisen; Grenzen, die für uns vor allem auf Alberdis Europäismus zurückzuführen sind. Dazu noch ein Wort.

Sicher hat Alberdi mit seiner Forderung nach der "filosofía americana" ein "Zurück zur Wirklichkeit" in der philosophischen Reflexion Lateinamerikas einleiten wollen. Seine europäisierende Sicht der lateinamerikanischen Wirklichkeit hat allerdings sein Anliegen stark beeinträchtigt. Die lateinamerikanische Realität, zu der die Philosophie zurück sollte, war ja nicht die lateinamerikanische Wirklichkeit in ihrer ganzen Komplexität, denn aus ihr war die Kulturwelt der Eingeborenen und Mestizen ausgeschlossen. Diese Welt, weil sie nach Alberdi eine Gegenkraft zur Zivilisation und zum Fortschritt darstellt, darf eigentlich keine Rolle bei der Neugestaltung Südamerikas spielen. Für die materielle und geistige Entwicklung Lateinamerikas setzt Alberdi allein auf Europa, d.h. auf das französisch-angelsächsische Europa. Vergeblich wird man also bei Alberdis Entwurf der "filosofía americana" nach einem Zugang zur Kulturwelt des "América mestiza" suchen. Und gerade darin zeigt sich die vielleicht fundamentale Grenze seines Ansatzes. Denn wie kann man Philosophie inkulturieren, wenn man doch die bodenständige Kultur verachtet bzw. als Barbarei abtut?

Zur Erhärtung unserer Kritik, deren Kernpunkt Alberdis Europäismus ist, darf noch auf die Tatsache hingewiesen werden, daß Alberdi zehn Jahre nach der Schrift über "filosofía americana", nämlich in seinem 1852 veröffentlichten Hauptwerk *Bases y puntos de partida para la organización política de la República Argentina*, seine europäisierende Sicht Südamerikas mit fast rassistischen Zügen zum Ausdruck bringt. So heißt es in *Bases* ...: "En América todo lo que no es europeo es bárbaro: no hay más división que ésta: 1°, el indígena, es decir, el salvaje; 2°, el europeo, es decir, nosotros los que hemos nacido en América y hablamos español, los que creemos en Jesucristo y no en Pillán (dios de los indígenas)." (30) Und an einer anderen Stelle wird sogar der Gegensatz zwischen Eingeborenen und "Europäern" in Südamerika deswegen relativiert, weil der Eingeborene als Besiegter, der keinerlei Ansprüche mehr erheben kann, verstanden wird: "... el salvaje está vencido: en América no tiene dominio ni señorío. Nosotros, europeos de raza y de civilización, somos los dueños de América." (31)

Betrachtet man also Alberdis Entwurf der "filosofía americana" im Lichte des dezidierten Europäismus seines Hauptwerkes, so wird nicht nur die Fragwürdigkeit des lateinamerikanischen Charakters seines Ansatzes offenkundig. Klar wird auch, daß Alberdi trotz der Bedeutung seines Werkes und der partiellen Korrektur des Europäismus in der Polemik mit Sarmiento nur schwer in jener lateinamerikanischen Denktradition einzuordnen ist, die mit ihrer Reflexion über die anthropologische, kulturelle Differenz Lateinamerikas die Grundrichtung für die Suche nach einer nicht überfremdeten Bestimmung unserer Realität bzw. für die Suche nach der echten "autonomía cultural" signalisiert hat. Auf der Linie dieser emanzipatorischen Denktradition, zu der so namhafte Denker wie Andrés Bello (1781-1865) und José Martí (1853-1895) gehören, steht unseres Erachtens Alberdis Konzept zur Herausarbeitung der "filosofía americana" nicht. Deshalb - so dürfen wir zum Schluß meinen - wäre es ein Mißverständnis, seinen Ansatz zu der lateinamerikanischen kulturethischen Tradition mitzurechnen, aus der heraus im philosophischen Bereich der Versuch gewagt wird, Philosophie so zu betreiben, daß dabei das Ende der Epoche, in der die Sache der Philosophie eurozentrisch gedacht und artikuliert wurde, angezeigt werden soll. (32)

Anmerkungen

(1) Vgl. dazu Raúl Fornet-Betancourt, Modos de pensar la realidad de América y el ser-americano, in: *Cuadernos Salmantinos de Filosofía* X (1982) 247-264
(2) G.W.F. Hegel, *Vorlesungen über die Philosophie der Geschichte*, in: *Werke in zwanzig Bänden*, Bd. 12, Frankfurt 1970, 108
(3) G.W.F. Hegel, a.a.O., 109/114
(4) Vgl. J.C. Scannone, Influjo de Gaudium et Spes en la problemática de la evangelización de la cultura en América Latina - Evangelización, liberación y cultura popular, in: *Stromata* 1/2 (1984) 94
(5) Zur argentinischen "joven generación" vgl. in deutsch: Dorothea Schmidt-Mathy, *Die literarische Opposition zu Juan Manuel de Rosas*, Frankfurt/Bern 1982
(6) Vgl. L. Farré, C.A. Lértora-Mendoza, *La filosofía en la Argentina*, Buenos Aires 1981, 47
(7) J.B. Alberdi, *Fragmento preliminar al estudio del Derecho*, hier zitiert nach Diego F. Pró, Americanismo y europeismo en Alberdi y Groussac, in: *Nuevo Mundo* 1 (1973) 190
(8) Diego F. Pró, Americanismo y europeismo en Alberdi y Groussac, in: *Nuevo Mundo* 1 (1973) 191
(9) J.B. Alberdi, *Ideas para un curso de filosofía contemporánea*, México 1978, 6
(10) J.B. Alberdi, a.a.O., 10
(11) J.B. Alberdi, a.a.O., 10
(12) J.B. Alberdi, a.a.O., 13
(13) J.B. Alberdi, a.a.O., 12
(14) J.B. Alberdi, a.a.O., 12
(15) J.B. Alberdi, a.a.O., 12
(16) J.B. Alberdi, a.a.O., 13
(17) J.B. Alberdi, a.a.O., 12
(18) J.B. Alberdi, a.a.O., 12
(19) J.B. Alberdi, a.a.O., 11
(20) J.B. Alberdi, a.a.O., 9
(21) J.B. Alberdi, a.a.O., 11
(22) J.B. Alberdi, a.a.O., 10-11
(23) J.B. Alberdi, a.a.O., 14
(24) Vgl. dazu Carlos A. Ossandón Buljevic, La concepción de una filosofía americana en Alberdi, in: *Cuadernos Hispanoamericanos* 349 (1979) 137-138
(25) J.B. Alberdi, *Ideas para un curso de filosofía contemporánea*, 12

(26) J.B. Alberdi, *Ideas para un curso de filosofía contemporánea,* 13
(27) J.B. Alberdi, a.a.O., 7
(28) J.B. Alberdi, a.a.O., 11
(29) J.B. Alberdi, a.a.O., 9
(30) J.B. Alberdi, *Bases y puntos de partida para la organización políti-ca de la República Argentina,* in: *Pensamiento Positivista Latino-americano,* Biblioteca Ayacucho, Caracas 1980, 80
(31) J.B. Alberdi, a.a.O., 81
(32) Vgl. dazu: Teil II, 2. Kapitel des vorliegenden Buches: Zur Geschich-te und Entwicklung der lateinamerikanischen Philosophie der Be-freiung, S. 65 ff.

2. KAPITEL

ZUR GESCHICHTE UND ENTWICKLUNG

DER LATEINAMERIKANISCHEN

PHILOSOPHIE DER BEFREIUNG

1. Vorbemerkung

Obwohl die lateinamerikanische Philosophie der Befreiung eine noch recht junge Denkrichtung darstellt, hat sie doch in ihrer etwa erst 10 Jahre alten Geschichte eine Reihe von zum Teil auch hochqualifizierten Ergebnissen vorzuweisen, in denen sich so verschiedene Denkansätze bzw. Strömungen feststellen lassen, daß bereits heute von Philosophien der Befreiung gesprochen werden kann. Gerade diese differenzierte Entwicklung der lateinamerikanischen Befreiungsphilosophie soll im Mittelpunkt unserer Ausführungen stehen, wobei den Fragen nach der Bestimmung des Subjekts des Philosophierens sowie nach dem Verhältnis zwischen Philosophie und Befreiung überhaupt besondere Aufmerksamkeit geschenkt wird, und zwar deshalb, weil sie Grundfragen sind, an deren Erörterung die Differenzierung der Ansätze innerhalb der Befreiungsphilosophie am deutlichsten dokumentiert wird. Als Orientierungshilfe für den mit der philosophischen Reflexion Lateinamerikas nicht ganz vertrauten deutschen Leser soll allerdings mit einigen Hinweisen zum theoretischen und sozialpolitischen Kontext, in dem die Philosophie der Befreiung entstanden ist, begonnen werden.

2. Der theoretische und sozialpolitische Kontext.
Zur Entstehungsgeschichte der Philosophie der Befreiung

Die folgenden Hinweise verstehen sich nicht als Versuch, die Geburtsstunde der lateinamerikanischen Befreiungsphilosophie eindeutig festzulegen. Mehr als zur zeitlichen Fixierung möchten sie eher zur Kontextualisierung der Befreiungsphilosophie Lateinamerikas beitragen. D.h. zur Beantwortung der Frage nach dem Anfang der Befreiungsphilosophie versuchen wir insofern beizutragen, als wir dieser Frage nachgehen: Aus welchem kulturgeschichtlichen und sozialpolitischen Kontext ist sie entstanden? Daß gerade dieser Frage und nicht etwa der konkreteren klingenden Frage: "Wann genau ist die Befreiungsphilosophie entstanden?", der Vorrang gegeben wird, ist dadurch zu erklären, daß bei der Erörterung der Kontext-Frage jene Probleme angesprochen werden, die für die Konstitution und Entfaltung der Befreiungsphilosophie entscheidend sind. Der Kontext gibt so Auskunft über die Herkunft der Philosophie der Befreiung, und zwar als Hypothek für die Zukunft ihrer Reflexion.

Wie läßt sich aber der kulturgeschichtliche und sozialpolitische Kontext der Philosophie der Befreiung erläutern? Dabei drängen sich folgende Faktoren geradezu auf:

1. Die kubanische Revolution (1959) und ihr Einfluß auf das lateinamerikanische Selbstbewußtsein
2. Die II. Vollversammlung der lateinamerikanischen Bischöfe in Medellín (1968)
3. Die Polemik Augusto Salazar Bondy - Leopoldo Zea (1969-1970) um die Frage nach der Authentizität der Philosophie in Lateinamerika
4. Die lateinamerikanische Theologie der Befreiung (etwa 1970-1971)
5. Die "Renaissance" des Peronismus und des Populismus in Argentinien (1972-1974)
6. Die Dependenztheorie (etwa Mitte der 60er Jahre).

Als besonders entscheidender Faktor darf dabei sicherlich die Dependenztheorie angesehen werden. Denn - wie in lateinamerikanischen Fachkreisen allgemein angenommen wird - ohne ihre theoretische Vorarbeit ist der neue Ansatz der Befreiungsphilosophie eigentlich nicht denkbar, genauso wenig übrigens wie der Ansatz der Theologie der Befreiung. Sie ist in der Tat bestimmend für den gesamten kulturgeschichtlichen und sozialpolitischen Kontext der Philosophie der Befreiung. In diesem Zusammenhang scheint es daher notwendig, auf die Dependenztheorie kurz einzugehen.

Zunächst soll darauf hingewiesen werden, daß die Herausarbeitung der Dependenztheorie so etwas wie ein epistemologischer Bruch in der sozialpolitischen Reflexion Lateinamerikas darstellt. Die Dependenztheorie, in der ein neues Bewußtsein von der lateinamerikanischen Wirklichkeit zum Ausdruck gebracht wird, versteht sich ja als Überwindung der Erklärungsschemata der traditionellen Sozialwissenschaft, d.h. der Sozialwissenschaft, die sich in Lateinamerika während der Dekade der 50er Jahre durchsetzt. Hierzu noch ein Wort.

Die Interpretationsmodelle der lateinamerikanischen Sozialwissenschaft der 50er Jahre - letzte stand unter dem Einfluß der nordamerikanischen Soziologie sowie unter der Schirmherrschaft internationaler Kommissionen (wie z.B. CEPAL) - bildeten die sogenannte "Desarrollistische Theorie", deren zentrale These folgendermaßen zusammengefaßt werden kann: Die lateinamerikanische Unterentwicklungssituation kann durch das In-Gang-Setzen eines beschleunigten Industrialisierungsprozesses aufgehoben werden. Diese These zeigt, daß die Theorie des "Desarrollismo" vom Verständnis der Unterentwicklung als einem Übergangsproblem ausgeht, und zwar als dem Problem vom Übergang traditioneller, rückständiger Gesellschaftsformen zu modernen, industrialisierten Gesellschaftsformen. Das heißt also, daß die Unterentwicklung eigentlich als eine Phase auf dem Weg zur Entwicklung gesehen wird. Daher sind die Erklärungsmodelle dieser Theorie durch die sogenannte "Aufholstrategie" bestimmt. Trotz der unternommenen Bemühungen und erzielten Teilerfolge im Bereich der Industrialisierung mußte aber in der ersten Hälfte der Dekade der 60er Jahre festgestellt werden, daß die Unterentwicklungssituation Lateinamerikas sich nicht nur nicht verbessert, sondern sogar verschärft hatte. Auf der Basis dieser Feststellung setzt sich nun in Lateinamerika die Einsicht durch, eine neue Erklärung für die Situation des Subkontinents zu suchen. Gerade in diesem Kontext ist die Dependenztheorie entstanden, und zwar als eine Interpretation, die auf der Überzeugung gründet, daß die politische, ökonomische, soziale und kulturelle Situation, die im Begriff Unterentwicklung zusammengefaßt wird, in gar keiner Weise als ein "natürlicher" Zustand, d.h. als ein Stadium betrachtet werden darf, das der Entwicklung logisch und chronologisch vorangehen würde. Die Unterentwicklungssituation der Länder Lateinamerikas und der Dritten Welt im allgemeinen darf also nicht als das vorläufige Ergebnis des autonomen, geschichtlichen Prozesses dieser Länder interpretiert werden. Diese Situation sprengt vielmehr den historischen Rahmen der unter ihr leidenden Länder. Denn die Realität der Unterentwicklung stellt sich nun als das Subprodukt der geschichtlichen Entwicklung jener Länder dar, die die hegemonischen Zentren der ökonomischen, politischen Macht in der Welt von heute bilden. Mit anderen Worten: die Unterentwicklung erscheint so als das andere Gesicht der Geschichte der Entwicklung des Kapitalismus. Das ist übrigens die Hauptthese der neuen Interpretation, die die Sozialwissenschaft Lateinamerikas im Laufe der 60er Jahre erarbeitete und die als Dependenztheorie weltbekannt wurde.

Im Mittelpunkt der neuen Interpretation der lateinamerikanischen Situation steht also nun die Kategorie der Abhängigkeit. Denn die Dependenztheorie geht ja davon aus, daß ein richtiges Verständnis der geschichtlichen Wirklichkeit der Unterentwicklung erst dann gewonnen werden kann, wenn von der für die Lage der Länder Lateinamerikas bezeichnenden Abhängigkeits- und Herrschaftssituation ausgegangen wird, und zwar im Sinne jener historischen Situation, die die Politik der im kapitalistischen Weltsystem dominierenden Mächte in den peripheren Ländern hervorgerufen hat. Zu den Grundthesen der Dependenztheorie gehört deshalb auch die Aussage, daß eine effektive endgültige Aufhebung der Unterentwicklung notwendig die vorherige Beseitigung der Abhängigkeit und der Fremdherrschaft voraussetzt.

Für die Bestimmung des kulturgeschichtlichen und sozialpolitischen Kontextes, aus dem die Philosophie der Befreiung entsteht, ist es nun wichtig, die Tatsache festzuhalten, daß mit ihrer zentralen Interpretationskategorie die Dependenztheorie das bis dahin gültige Begriffspaar "Unterentwicklung - Entwicklung" durch das Begriffspaar "Abhängigkeit - Befreiung" ersetzt. Ihr methodologischer Ansatz signalisiert somit die Freilegung eines veränderten Verstehenshorizonts, in dem eben die Befreiung als echte Alternative für die gegenwärtige Situation Lateinamerikas gedacht werden kann. Hier zeigt sich übrigens, daß der Dependenztheorie tatsächlich eine entscheidende Bedeutung bei der Bestimmung des gesamten Kontexts der Befreiungsphilosophie zukommt, insofern der von ihr eröffnete Verstehenshorizont den geistigen Rahmen darstellt, in dem andere der oben erwähnten Faktoren stehen; wie z.B.

68

die Polemik um die Authentizitätsfrage der Philosophie in Lateinamerika oder die anfänglichen Systematisierungsversuche der Befreiungstheologie oder sogar - wenn auch nur teilweise - die Bischofskonferenz von
Medellín.

Die Konsequenz daraus ist die, daß von ihrem Anfang an die Befreiungsphilosophie in einem signifikativ belasteten Kontext steht, den
sie als Bedingung der Möglichkeit für ihre Konstitution als Philosophie
der lateinamerikanischen Befreiung zu übernehmen hat, und zwar deshalb, weil dieser Kontext zugleich den Verstehenshorizont darstellt, aus
dem sie die Legitimation ihrer historischen Funktion ziehen kann. Diese
Konsequenz wird allerdings erst einsichtig, wenn man dabei noch folgendes vor Augen hat. Für die Dependenztheorie ist Lateinamerika kein
bloßer geopolitischer Kontext, sondern eher eine bedeutungsstiftende
geschichtliche Realität. Und gerade deshalb erscheint es als jenes immer schon verstehende und für einen echten lateinamerikanischen Diskurs determinierende "Von wo aus", das man einen Verstehenshorizont
nennen kann. (1)

Wir können nun präziser sagen, daß die Befreiungsphilosophie aus einem Kontext entsteht, in dem sie die historische Wirklichkeit Lateinamerikas als ihren eigenen Verstehenshorizont vorfindet. Und dies will
auch besagen: als Verstehenshorizont fungiert Lateinamerika als jene
hermeneutische Instanz, an der die Philosophie sich bei ihrer Selbstbestimmung zu orientieren hat. Daher steht am Anfang der Philosophie
der Befreiung die Frage nach der Konstitution einer Philosophie, die
sich von Haus aus als spezifisch lateinamerikanische ausweisen kann.
Gefragt wird also nach der Begründungsmöglichkeit einer Philosophie,
die - ihre geschichtliche Determination aufnehmend - sich nicht nur als
Reflexion über ihre Determination, sondern auch als eine Reflexion
konstituiert, die durch ihren lateinamerikanischen Verstehenshorizont
signifikativ bestimmt ist. Anders gesagt: es geht um die Möglichkeit
einer Philosophie, deren Reflexion sich vom lateinamerikanischen Selbstverständnis bestimmen läßt, um der lateinamerikanischen Realität in
ihrer ontologischen und anthropologischen Differenz Rechnung tragen zu
können.

Aus dieser Sicht wird verständlich, daß die Frage nach der Möglichkeit einer lateinamerikanischen Philosophie der Befreiung sich zunächst
durch ein kritisch-destruktives Anliegen auszeichnet. Der neue lateinamerikanische Verstehenshorizont, aus dem heraus die Philosophie der
Befreiung nach ihrer Möglichkeit fragt, impliziert ja die kritische "Destruktion" der philosophischen Vergangenheit Lateinamerikas, insofern
diese Vergangenheit nunmehr als eine fremde und entfremdete, d.h.
durch Europa bestimmte Vergangenheit erscheint. Die Frage nach der
Möglichkeit einer lateinamerikanischen Philosophie konkretisiert sich
also zunächst in dem Versuch, mit dem europäischen Philosophie-Ver-
ständnis als allgemein verbindliches Kriterium für das Philosophieren
überhaupt abzurechnen bzw. abzubrechen. Dieses Anliegen stellt - wie
wir gleich sehen werden - eine Konstante bei den anfänglichen Bemühungen der Befreiung dar, und zwar unabhängig von ihrer politischen
bzw. ideologischen Option.

3. Die ersten systematischen Ansätze einer Philosophie der Befreiung

1973 veröffentlichte die argentinische Fachzeitschrift *Nuevo Mundo* ein Themenheft zur Problematik der Konstitution einer lateinamerikanischen Philosophie. Diese Publikation stellt den ersten Versuch dar, die verschiedenen Ansätze zur Herausarbeitung einer befreienden Philosophie Lateinamerikas systematisch zu dokumentieren. Auf ihre wichtigsten Beiträge soll im folgenden eingegangen werden, um die ersten systematischen Ansätze einer lateinamerikanischen Befreiungsphilosophie zu erörtern. Dabei soll zugleich die dieser Thematik zugrundeliegende Frage erläutert werden, nämlich die Frage nach der Vermittlung zwischen Philosophie und Befreiung.

Beginnen wollen wir mit Osvaldo Ardiles' Beitrag, der diesen aufschlußreichen Titel trägt: "Bases para una de-strucción de la historia de la filosofía en la América Indo-ibérica". Wie der Titel bereits andeutet, versteht der Autor die Notwendigkeit einer Abrechnung mit der philosophischen europäischen Tradition als unerläßliche Bedingung für die Herausarbeitung einer neuen, der lateinamerikanischen Situation verpflichteten Philosophie. Im Anschluß an das Interpretationsmodell der Dependenztheorie wird nämlich davon ausgegangen, daß die Philosophie, die von Europa nach Lateinamerika kommt, ein weiteres Element des politisch-ideologischen Herrschaftsinstrumentariums der Kolonialmächte ist. Als Teil eines fremden Herrschaftssystems bleibt die Philosophie in Lateinamerika von Anfang an ohne Zugang zur Realität des Volkes. Ihre Geschichte wird also ein Aspekt der allgemeinen Geschichte lateinamerikanische Dependenz sein. (2) Konsequenterweise muß der Versuch einer neuen lateinamerikanischen Philosophie mit der "Destruktion" der Geschichte der Philosophie in Lateinamerika anfangen. Dadurch soll gezeigt werden, daß die Philosophie sich als Ausdruck des herrschenden europäischen Logos vollzogen hat, und daß ihre Geschichte somit eine ständige Negation der lateinamerikanischen Differenz gewesen ist. Der traditionellen Philosophie Lateinamerikas ging es nicht um Lateinamerika, sondern um die Durchsetzung der europäischen Vernunft und ihres unbedingten Universalitätsanspruchs.

Aus dieser Sicht versteht sich die "Destruktion" der Geschichte der Philosophie in Lateinamerika als "subversive" Aktion, d.h. sie will den philosophischen Logos der Beherrschung umkehren, damit das von ihm Unterdrückte in seiner eigenen Sprache zur Sprache kommen kann; das eigentümlich Lateinamerikanische, die ursprüngliche Differenz Lateinamerikas. Und als "subversive Aktion" gegen die herrschende Rationalität ist die "Destruktion" der Geschichte der Philosophie in Lateinamerika bereits ein Stück Befreiungsphilosophie.

Bei dieser Argumentation Ardiles' muß hervorgehoben werden, daß sie auf zwei Grundüberlegungen zurückgeht. 1) Philosophie ist wesentlich politisch. 2) Das historische Subjekt der Philosophie ist das Volk. Wichtig sind diese Voraussetzungen auch deshalb, weil sie die nicht mehr hinterfragbare Basis für die Bestimmung des Wesens der Philosophie als politisch "strategisches Denken des Volkes" (3) bilden; eine Bestimmung, in der sich eigentlich die Frage nach der rationalen Vermittlung zwischen Philosophie und befreiender Politik erübrigt, da sie ja eine solche Vermittlung einfach postuliert bzw. a priori voraussetzt, insofern sie Philosophie nicht nur vom politischen Engagement des Volkes her, sondern auch als Dimension seiner politischen Strategie konzipiert.

Eine ähnliche Problemstellung wirft Hugo Assmann in seinem Artikel "Presupuestos políticos de una filosofía latinoamericana" auf. Auch für Assmann, der aus einer marxistischen Perspektive heraus argumentiert, löst sich die Frage nach dem Zusammenhang zwischen Philosophie und politischer Aktion von selbst auf. Mit Marx setzt er in seinem Philosophieverständnis die notwendige Aufhebung der Philosophie in der politischen Praxis voraus, und zwar als immanenten Schritt authentischer philosophischer Reflexion. Auf der Basis dieses Verständnisses wird das In-Gang-Setzen eines radikalen Lernprozesses als notwendig für die Herausarbeitung einer authentisch lateinamerikanischen Philosophie angesehen, wodurch die Philosophie ihre ideologische Legitimationsfunktion im herrschenden System ablegt und sich der politischen Herausforderung Lateinamerikas im Sinne einer Befreiungspraxis stellt.

Zur Verwirklichung der Möglichkeit einer lateinamerikanischen Befreiungsphilosophie gehört also auch für Assmann das Moment der kritischen Überprüfung bzw. der "Destruktion" der Geschichte der Philosophie. Für ihn aber soll der Schwerpunkt dieser destruktiv-kritischen Vorarbeit im Versuch liegen, die Geschichte der Philosophie als Seinsdenken auf ihre verdeckte ideologische Funktion hin zu überprüfen. Denn gerade als abstraktes, scheinbar neutrales Seinsdenken hat die Philosophie zur ideologischen Legitimation der bürgerlichen Rechtsordnung beigetragen. Um Assmanns Ansatz besser zu verstehen, muß hinzugefügt werden, daß nach ihm sogar die abstraktesten Begriffe der traditionellen Philosophie, wie z.B. der Seinsbegriff, im engen Zusammenhang mit der juridischen Struktur des bürgerlichen Systems stehen. Mehr noch: solche Begriffe helfen mit, die Klasseninteressen im Rechtssystem der Bourgeoisie zu verschleiern. Lapidar faßt Assmann die Beziehung zwischen Seinsdenken und Rechtsordnung zusammen: "Eng kollaboriert das Seinsgeheimnis mit dem 'Geheimnis' des Rechts; die Philosophielehrstühle sind nicht so all entfernte Verwandte von den Königs- und Gerichtshöfen, und zwar deshalb nicht, weil - trotz der vielen Funktionsunterschiede - die Verwandtschaft in der Sache, um deren willen sie funktionieren, sehr oft ins Auge springt." (4)

In seiner Argumentation entgeht Assmann die Tatsache nicht, daß die "Destruktion" der Geschichte der Philosophie als Geschichte eines Denkens, das systemkonform und systemlegitimierend gedacht hat, eine Leistung darstellt, die die Philosophie selbst leisten muß. Aber wie kann die Philosophie eine solche Leistung erbringen? Für ihn wohl nur dadurch, daß die Philosophie jenen oben erwähnten Lernprozeß radikal vollzieht. Und darunter ist der Prozeß zu verstehen, durch den die Philosophie zur Realität des Volkes zurückfindet und sich ihr als dem eigentlichen Ort ihrer Reflexion öffnet. Das Volk, genauer gesagt, die Befreiungspraxis des Volkes ist das Element, aus dem heraus die Philosophie ihre Erneuerung vermag. Als Fazit der Argumentation von Assmann darf daher folgendes festgehalten werden: die reale Möglichkeit für die Konstitution einer authentischen lateinamerikanischen Philosophie liegt letztlich in der Entdeckung der politischen, befreienden Praxis, und zwar deshalb, weil nur sie Basis einer globalen Entkolonisierung der Kultur sein kann.

Auch im Beitrag von Mario Casalla ("Filosofía y cultura nacional en la situación latinoamericana contemporánea") wird die radikale Revidierung der "offiziellen" philosophischen Tradition als unbedingt notwendige

Vorleistung für die Erörterung der Frage einer eigenen lateinamerikanischen Philosophie gefordert. Diese kritisch-destruktive Auseinandersetzung mit der Tradition soll ja die ideologischen Voraussetzungen ans
Licht bringen, die permanent die Herausbildung einer authentischen
Philosophie in Lateinamerika blockiert haben. Von diesen Voraussetzungen sind zwei besonders hervorzuheben: 1) Die Reduktion des Philosophierens auf das europäische Modell und 2) die angebliche Universalität
der Philosophie Europas. Sie sind die Grundpfeiler des Philosophie-Ver-
ständnisses, das sich in Lateinamerika durchsetzt. Die historische Entwicklung der Philosophie in Lateinamerika verläuft daher im Sinne eines auf Imitation und Legitimation des europäischen imperialen Wissens
bedachten Denkens. Und gerade deshalb muß ja für Casalla die Destruktion der Geschichte der Philosophie im lateinamerikanischen Kulturbereich als notwendige Bedingung für die Herausarbeitung eines alternativen Philosophierens erscheinen, das die historisch-politische und
spekulative Dimension auf einer neuen Basis zu reflektieren vermag.

Dementsprechend stellt sich in Casallas Ansatz die Frage nach einer
eigenen lateinamerikanischen Philosophie als Frage einer neuen Vermittlung zwischen dem Historisch-Politischen und dem Spekulativen dar.
Weil aber dabei das Historisch-Politische zugleich als Vollzugsort dieser
Vermittlung fungiert, will er bereits seine Fragestellung als einen Beweis dafür verstanden wissen, daß in seinem Ansatz die Frage nach einer lateinamerikanischen Philosophie keine akademische, abstrakte Frage meint. Es handelt sich vielmehr um eine praktische Frage; um eine
Frage, die der konkreten Geschichte des Volkes entwachsen ist und sich
in der nationalen Kultur als Moment des vom Volk angestrebten geschichtlichen Entwurfs kristallisiert. Das Auftauchen der Philosophie
bzw. der spekulativen Reflexion gehört so in die politische Geschichte
eines Volkes. Mehr noch, Philosophie wäre demnach der reflektierte
Vollzug politischer Selbstbestimmung. Deshalb geht es Casalla letztlich
darum zu zeigen, daß die Frage nach einer lateinamerikanischen Philosophie eigentlich die Frage der Entwicklung eines alternativen Philosophierens ist, das seinen Ausgangspunkt in den Kulturen der lateinamerikanischen Nationen fände und seinen Vollzug als Vollzugsmoment des in
diesen Kulturen latenten politischen Entwurfs zu realisieren vermöchte.

Für Casalla steht also fest: der Boden, auf dem die Philosophie eines Volkes wächst, ist seine Kultur, wobei Kultur die eigene, bodenständige Systematisierung des Lebensraums, in dem das Volk seinen politischen Entwurf herausbildet, meint. Das ist genau die These, die im
Hintergrund seiner Argumentation steht. Diese These wird aber noch
ergänzt und verschärft: "Gegenüber der liberal-bürgerlichen (= neuzeitlichen) Fragestellung des 'Subjekts', des 'Individuums', des 'Menschen'
als Ausgangspunkt des Philosophierens wird eine situationsbewußte lateinamerikanische Philosophie *das Volk als historisches Subjekt des Philosophierens* begreifen. Damit wird sie den eben zitierten philosophischen *Egoismus* der Neuzeit überwinden und ihre Problematik am realen
Motor der historischen und philosophischen Dynamik unserer Länder an-
passen können; denn nicht das Individuum, sondern die *als Volk organi-
sierte Gemeinschaft* ist es, die diesen Ruf nach Totalität und Transzendenz, der sich als 'Philosophie' ausdrückt, ermöglicht und verwirklicht." (5)

Der historisch-politische Prozeß eines Volkes zu sich selbst als souveräne, freie Gesellschaft stellt also die Dimension dar, in der Philosophie sich zu verwirklichen hat. D.h. von Haus aus ist die Philosophie mit einer politischen Hypothek belastet. Und ihre Authentizität wird gerade davon abhängen, ob sie diese Hypothek einlöst oder nicht. Authentische Philosophie darf ja nichts anderes als reflektierter Ausdruck der praktischen Realisierung des politischen Entwurfs eines Volkes sein.

Wir haben erneut mit einem Ansatz zu tun, in dem die Frage nach der Vermittlung zwischen Philosophie und politischer Befreiungspraxis eigentlich kein echtes Problem darstellt. Die Voraussetzungen, von denen ausgegangen wird, entschärfen in hohem Maße die Problematik dieser Frage. Mit der Annahme der historisch-politischen Realität als globale, für das Wesen der Philosophie bestimmende Instanz wird doch die Vermittlung zwischen Philosophie und Politik zu einer Forderung der Politik. Aber Casallas Ansatz verlangt nicht nur die Integration der Philosophie in die Politik, und zwar vom Politischen aus. Weil dabei die Politik oder, genauer gesagt, die befreiende Praxis des Volkes zum absoluten Kriterium für die Authentizität der Philosophie erhoben wird, fordert sein Ansatz darüber hinaus die Aufhebung der Philosophie im politischen Leben der nationalen Gemeinschaft. Für Casalla ist das Verhältnis zwischen Philosophie und Politik derart wesentlich und unmittelbar, daß für ihn die letzte Konsequenz seines Ansatzes nur so lauten kann: die philosophische Radikalität des Philosophen in Lateinamerika hängt von seiner politischen Radikalität ab. (6)

Anhand der referierten Ansätze darf folgendes festgehalten werden. Die Frage nach der Konstitutionsmöglichkeit einer lateinamerikanischen Befreiungsphilosophie fragt zunächst tatsächlich nach der Möglichkeit, mit der Vorherrschaft der abendländisch-europäischen Tradition abzurechnen, und zwar als Bedingung für die befreiende Durchsetzung des authentisch Lateinamerikanischen. Im Lichte des von der Dependenztheorie eröffneten neuen Verstehenshorizonts werden Philosophie und Befreiungspraxis unmittelbar verknüpft. Philosophieren heißt nun befreien, wobei dieses Befreien auch die Befreiung der Philosophie von ihrem alten Selbstverständnis als Angelegenheit eines einzelnen Subjekts meint. Das sind - ganz knapp zusammengefaßt - die Erkenntnisse, die in den ersten Ansätzen der lateinamerikanischen Befreiungsphilosophie gewonnen werden; Erkenntnisse, die deshalb festzuhalten sind, weil sie - wie wir gleich sehen werden - die theoretische Weiterentwicklung der Philosophie der Befreiung auch bestimmen.

4. Die Philosophie der Befreiung und ihre Entwicklung

Innerhalb der lateinamerikanischen Philosophie der Befreiung haben sich bis heute zwei große Grundtendenzen bzw. Strömungen herauskristallisiert. Die erste, weil sie aus dem Ethos bzw. aus der Weisheit der Volkskulturen heraus argumentiert, soll hier als die kulturethische Strömung bezeichnet werden, die zweite als marxistisch orientierte, da sie auf das methodologische Instrumentarium des Marxismus zurückgreift. (7) Die folgenden Ausführungen zur Entwicklung der Befreiungsphilosophie beschränken sich auf die Erörterung dieser beiden Strömungen. Mit anderen Worten: die Entwicklung der Befreiungsphilosophie soll dadurch skizziert werden, daß wir die Hauptvertreter dieser zwei Grundtendenzen zu Wort kommen lassen. Begonnen werden soll mit der kulturethischen Strömung.

Als erster Vertreter dieser Strömung darf der argentinische Kulturphilosoph Rodolfo Kusch genannt werden. Sein Werk steht zweifellos für einen der ersten und glaubwürdigsten lateinamerikanischen Versuche zur Inkulturation der Philosophie, wobei sofort anzumerken ist, daß darunter die radikale Öffnung der Philosophie für die ursprüngliche, umgreifende Weisheit des Volkes in seiner bodenständigen Kultur verstanden wird. In seinem Ansatz weicht Kusch vom Interpretationsschema der Dependenztheorie ab und setzt mit der Bejahung der Vitalität einer lateinamerikanischen Kultur an, die sich unmittelbar als der symbolische Horizont auftut, aus dem und in dem die Aufgabe möglich wird, das Leben zu leben und zu verstehen. Daher liegt für Kusch das eigentliche Problem Lateinamerikas nicht in Lateinamerika, sondern in den Lateinamerikanern. Denn die Lateinamerikaner sind es, die, weil sie eben nicht die adäquaten Kategorien zum Verständnis der wesentlichen Wahrheit Lateinamerikas haben, Gewicht und Wert des ursprünglich Amerikanischen negieren. Diese Feststellung läßt sich noch konkreter ausdrücken: Der Zugang zum richtigen Verständnis des Amerikanischen wird nicht nur durch die fremde Herrschaft, die das Bodenständige unterdrückt, sondern auch - und vielleicht vor allem - durch das Mißtrauen eines guten Teils der lateinamerikanischen Bevölkerung gegenüber seiner eigenen Kulturtradition blockiert. Für die philosophische Reflexion in Lateinamerika ergibt sich daraus die Konsequenz, daß ihre vornehmliche Aufgabe nicht darin bestehen soll, die Mechanismen fremder Herrschaftsformen zu entlarven. Ihre Arbeit soll vielmehr in erster Linie der reflektierten Einsicht in die Lehre des "tiefen Amerikas" (América profunda) gelten, und zwar durch achtende Besinnung auf seine volkstümliche, kulturelle und rituale Manifestation. Der Weg zum Verständnis Amerikas kann nicht an dem ursprünglich Lateinamerikanischen vorbeigehen. Dieser Weg, gerade weil er sich im Lichte des ursprünglichen Amerikas abzeichnet, fordert allerdings den Verzicht des Menschen auf sich selbst als manipulierendes Subjekt der Wirklichkeit. Will man das Amerikanische ursprünglich verstehen, so muß man seine eigene Logik opfern, um sich durch die Dynamik, die das Amerikanische als das zu verstehende Objekt entfaltet, leiten zu lassen. Nur durch diese opfernde Negation des individuellen kulturellen Gesichtspunkts wird es möglich, Zugang zum Wahrheitsfeld des Amerikanischen zu finden, d.h. zu jenem Bereich, in dem das Amerikanische - befreit von allen fremden Kulturbestimmumgem - Einsicht in den Ursprung seiner Wahrheit gewährt.

Das Feld bzw. den Bereich, in dem das Amerikanische sich in seiner ursprünglichen Wahrheit manifestiert, nennt Kusch das "Sich-Befinden" (estar). Die Wahrheit des Amerikanischen drückt sich in einer Kultur des "Sich-Befindens" aus. Damit ist die Kultur des einfachen Volkes gemeint, das sein Existenzprojekt im Sinne eines Sich-Einrichtens in der Welt entwirft; aber doch so, daß dabei die Achtung vor der sakralen Dimension der Totalität, die in der Welt als absolute Referenz frei wird, im Mittelpunkt steht. Diese in der Kultur der lateinamerikanischen Völker innewohnende Weisheit stellt für Kusch den Grund dar, zu dem die Philosophie Zugang finden muß. Die Weisheit des Volkes soll Grund und Ursprung der Philosophie sein. Anders betrachtet: die Frage der

Philosophie in Lateinamerika ist eigentlich das Problem des Zugangs zu ihrem bodenständigen Grund bzw. Ursprung. Dieses Problem darf allerdings nicht rein objektiv verstanden werden. In erster Linie geht es ja um den Zugang zu einer lebendigen Wirklichkeit, da Volkskultur nichts anderes als die konkrete Existenzweise des Volkes meint. Oder wie Kusch selbst sagt: "Es geht darum, das philosophische Subjekt Amerikas aufnehmend zu entdecken; ein Subjekt, das nicht Wir, sonder das, was wir Volk nennen, ist." (8)

Die Konsequenzen, die sich aus Kuschs Ansatz für den Vollzug der Philosophie ergeben, liegen auf der Hand. Zunächst ist darauf hinzuweisen, daß der von ihm geforderte Zugang zum Volk als philosophierendes Subjekt die Öffnung der Philosophie für das mythische Bewußtsein, das die Volkskultur charakterisiert, meint. In Lateinamerika hat die Philosophie demnach das mythische Bewußtsein bzw. den symbolischen Horizont der Volkskultur als die Instanz zu übernehmen, in der sich ihr der Sinn ihres Diskurses kundtut. Davon wird auch die Möglichkeit zur Konstitution einer lateinamerikanischen Befreiungsphilosophie abhängen. Denn die Übernahme der residualen mythischen Ursprünglichkeit des Amerikanischen stellt ja die Bedingung dafür dar, daß die Enge der objektivierenden abendländischen Vernunft gesprengt und Raum für ein neues, auf das befreiende Gelingen der amerikanischen Differenz bedachtes Denken geschaffen wird.

Ferner ist zu erwähnen, daß im Ansatz von Kusch die Vermittlung zwischen Philosophie und Befreiung auch direkt aus der These abgeleitet wird, in der das Volk zum Subjekt des Philosophierens erklärt wird. Diese These hat bei Kusch allerdings eine ganz andere Bedeutung als sie z.B. bei den Vertretern der marxistisch orientierten Philosophie der Befreiung hat. Volk ist eben für Kusch keine soziologische Kategorie, sondern ein Symbol. Es symbolisiert Wert und Wahrheit des ursprünglich, aber doch negierten Amerikanischen. D.h. das Volk ist das Symbol dessen, was die Lateinamerikaner sind und von sich jedoch abweisen. (9) Und gerade als Symbol des geschichtlich negierten Ursprünglichen repräsentiert das Volk die historische Instanz, in der Philosophie und Befreiung vermittelt werden. Das Volk drängt auf seine Befreiung. Gewiß wird damit die Philosophie mit der Hypothek der Befreiung auch von vornherein belastet, aber die Befreiung, auf die das Volk als Symbol des Ursprünglichen drängt, ist doch eher als regressive Bewegung zum Ursprung, d.h. als Regreß zu jener Existenzweise zu verstehen, die in der Weisheit der Volkskultur latent ist. Die Befreiung, die hier durch die These "das Volk ist Subjekt des Philosophierens" zur Sache der Philosophie gemacht wird, meint also eine Befreiung, die der ursprünglichen Kultur des "Sich-Befindens" Rechnung trägt und von ihr zugleich getragen wird. Deshalb kann sie weder durch strukturelle noch durch wissenschaftlich-technische Veränderungen allein geleistet werden. Sie soll auch - und vor allem - das Ergebnis der Um-Kehr des Menschen zu der Ursprünglichkeit seines "Bodens" sein.

Um den Ansatz von Kusch besser zu verstehen, muß jedoch ins Gedächtnis gerufen werden, daß sein Entwurf auf dem gründet, was er selbst die Geokultur des Denkens genannt hat. Damit ist allerdings keine bloß geographische Determination des Denkens gemeint. Zwar spricht die Geokultur von der Inzidenz des Bodens in das Denken, aber im Sinne der Öffnung des Denkens für den eigenen Grund, wo es einen Halt

Für eine andere Linke
Neuerscheinungen 1988/89 bei Materialis

Die Probleme, die wir mit den anderen haben,
sind immer unsere Probleme, niemals
die Probleme der anderen.
Bruno Bettelheim

Rainer Langhans, Matthias Horx, Klaus Meschkat, Michael Vester u.a.
Greifen nach Sternen und Steinen

Zum Lernprozeß und zur Selbstreflexion der neuen Sozialen Bewegungen (1968 - 1988)
Hrsg. v. Gerhard Stamer, Anne Dudeck, Rainer Marbach
EE 12, Materialis, ca. 168 S. Pb, ca. 29,80 DM, Januar 1989

Das Jahr 1968 ist zum Symbol geworden für den Aufbruch einer weltweiten, linken Opposition. Generationen von Jungen haben sich diesem seitdem − mit verschiedenen konkreten Zielsetzungen und unterschiedlichen kulturellen Stilen − angeschlossen. Denoch hat sich kein grundlegender Wandel in den Verhältnissen vollzogen. Demgegenüber ist zwar der Wandel in den Beziehungen und in den Subjektverfassungen unbestreitbar, er reicht offenbar aber noch nicht aus, um eine weitergehende Wandlung zu induzieren.

Angesichts des in unseren Tagen verbreiteten Katastrophismus kommt es darauf an, neue Problematisierungen und Praktiken zu entwickeln, die die Träume von einem Reich der Freiheit neu aktualisieren. Es geht darum, mit überraschenden Neuorientierungen und Aktionen, die linke Opposition zu beleben.

Dieses Buch sucht den Zusammenhang, die Entwicklung und den Lernprozeß der neuen sozialen Bewegungen und des politischen Widerstands in der Bundesrepublik von 1968 bis heute darzustellen.

Es will damit Beiträge für die Erarbeitung eines Selbstbewußtseins der neuen sozialen Bewegungen erbringen. Unter den Leitfragen: Wo kommen wir her? Wo stehen wir? Wohin wollen wir? werden folgende Themen diskutiert:
- Individuelle und gesellschaftliche Emanzipation
- Politische Opposition zwischen innen- und außenpolitischer Orientierung
- Systemveränderung und Reformpolitik
- Neue soziale Bewegungen und Arbeiterbewegung
- Frauenbewegung − Vom Weiberrat zur Frauenbeauftragten
- Erwachsenenbildung zwischen politischer Bildung und Qualifizierungsoffensive − Selbstorganisation contra Haushaltskürzungen.

Die Autoren sind u.a.: Karl Werner Brand, Anne Dudeck, Michael Holy, Matthias Horx, Jan Kuhnert, Rainer Langhans, Klaus Meschkat, Joscha Schmierer, Karl-Ludwig Schibel, Christian Semler, Heide Soltau, Gerhard Stamer, Gerburg Treusch-Dieter, Michael Vester.

Manon Andreas-Grisebach, Dieter Duhm, Oskar Sahlberg, Heinrich Huebschmann u.a.
EinsSein und InneWerden

Paradiesesthematik in apokalyptischer Zeit
Hrsg. u. eingel. von Eva-Maria Knapp
EE 11, Materialis, ca. 180 S. Pb, ca. 29,80 DM, Januar 1989

Der Untertitel »Paradiesesthematik in apokalyptischer Zeit« bezeichnet den Ausgangspunkt dieser Anthologie. Und der Obertitel den überraschend einhelligen Schluß, zu dem die Autorinnen und Autoren beim Schreiben gelangt sind: Einssein und InneWerden.

Es geht den Autoren um die Reflexion ihrer Selbsterfahrung und ihrer Beziehungen. Dies soll das eigene InneWerden dessen, was einen selbst eigentlich treibt, ermöglichen, aber auch das EinsSein mit seiner Umwelt und den Mitmenschen, die oft schmerzlich vermißt wird, herstellen helfen.

Die Beiträge geben ein breites Spektrum von Erfahrungen wieder. Dies reicht von den eigenen Erfahrungen mit Literatur, Mystik, Meditation, Joggen, Geburt, Psychotherapie, Psychiatrie bis zu den Erfahrungen mit Gruppen des Psychobooms (Bhagwan, Bauhütte) und von Initiativen (Aktion gegen Tierversuche) sowie zur eigenständigen literarischen Darstellung und Transponierung dieser Erfahrungen in dramatischen Szenen, Gedichtzyklen und Briefen.

Der letzte Beitrag des Bandes – er stammt von dem Psychotherapeuten Heinrich Huebschmann – scheint mir zugleich der eindrücklichste: Er berichtet davon, wie er von 1946 - 1986 eine Bahnbeamtenfamilie in einer Familientherapie begleitet hat. So wie die Eisenbahn in dieser Geschichte das Paradigma für die weit verbreitete bürokratische Betriebsform ist, die für die darin Arbeitenden den Verlust von Freiheit bedeutet, so zeigt Huebschmann, wie in diesem Fall, der für Tausende anderer Fälle steht, der Familienvorstand und Bahnbeamte seinen Freiheitsverlust an seiner Familie ausagiert und diese dadurch auch in psychosomatische Störungen treibt. Durch das therapeutisch induzierte Sprechen, das Huebschmann ausgiebig selbst zu Wort kommen läßt, wird ein erstes Freimachen von diesen Zwängen entworfen. In der Familiendelegation gelingt es der Tochter, die dieses Frei-Sprechen von Anfang an einübt, sich von diesen Zwängen vollends freizumachen und einen eigenen autonomen Lebensentwurf zu realisieren.

Gustavo Gutíerrez, Enrique Dussel, Mario Bunge u.a. Positionen Lateinamerikas

hrsg. v. Raúl Fornet – Betancourt, Alfredo Gomez – Muller, m.e. Vorwort v. Walter Biemel u.m.e. Einleitung von Raúl Fornet Betancourt
LS 1, Materialis, ca. 148 S., ca. 29,80 DM, Februar 1989

Dieser Band will eine aktuelle philosophische Vermessung des lateinamerikanischen Kontinents leisten. Er bedient sich dabei des Dialogs. Die Gesprächspartner der beiden Herausgeber, die Redakteure der Zeitschrift Concordia sind, bringen zusammengenommen die ganze Vielfalt von Strömungen zum Ausdruck, die heute Philosophie in Lateinamerika betreiben.

1) Die Befreiungstheologie und -philosophie: Gustavo Gutíerrez, der Begründer der Befreiungstheologie (BT), faßt noch einmal in der Erwiderung auf die Infragestellung der BT durch den Vatikan die Motive und die hauptsächlichen Begründungen zusammen rund gibt damit einen stringenten Einblick in diese. Enrique Dussel, der für den linken, außerinstitutionellen Flügel der BT steht, versucht das Projekt vorzustellen, die BT durch eine Philosophie der Befreiung besser zu fundamentieren.

2) Der Marxismus in Lateinamerika: Alejandro Serrano Caldera, ein marxistischer Philosoph und zugleich der Botschafter Nicaraguas in Frankreich und bei der UNESCO, geht davon aus, daß zwar die marxistische Philosophie sich in Lateinamerika noch wenig verbreitet hat, aber der Marxismus in der Sozialwissenschaft (Mariategui, Dependenztheorie), der Pädagogik (Paolo Freire) und in der sozialen Wirklichkeit (Kuba, Nicaragua) verwurzelt ist. Zugleich sieht er aber auch, daß sich in Lateinamerika neue, spezifische Aufgaben für die marxistische Philosophie stellen: den Dialog mit den Teilen des Christentums, das durch die kirchliche Basisgemeinden und die Befreiungstheologie geprägt ist, aufzunehmen; die andere Kulturtradition der indigenen Stämme für eine kulturelle Synthese fruchtbar zu machen und überhaupt eine kulturelle Identität Lateinamerikas auszubilden; die philosophische Reflexion der praktischen Probleme, die im Befreiungsprozeß Lateinamerikas entstehen, zu betreiben.

3) Das Projekt einer spezifisch lateinamerikanischen Philosophie und die Kritik am Eurozentrismus: Hier stellen wir eine ganze Reihe von verschiedenen Ansätzen vor (J.C. Scannone, Luis Villoro, A. Wagner de Reyna, L. Zea). Die Gemeinsamkeit dieser Strömung liegt sowohl im Ausgangspunkt als auch im Ziel begründet: es geht darum, eine kulturelle Identität Lateinamerikas auszubilden, die sowohl die indianische als auch die iberische Tradition produktiv verarbeitet und eine Antwort auf die Einflußnahmen der europäischen Moderne findet. Das historisch-ethische Projekt soll einen Schlußstrich ziehen unter die interne Ausbeutungs- und internationale Abhängigkeitsstruktur. Viele der neueren Autoren dieser Strömung gehen dabei davon aus, daß die französische Philosophie der Alterität die grundlegenden Kategorien und semantischen Werkzeuge bereitstellt, um diese Aufgabe in Angriff zu nehmen und dasgesteckte Ziel zu erreichen. Ihre Anwendung der Alterität ist aber auch für unsere Verhältnisse interessant, weil offenbar Lateinamerika ein besonders dichter Anwendungsfall für die Alterität darstellt. Dies zeigt ja auch Todorovs Buch »Die Eroberung Amerikas« (es 1213).

4) Die christliche Philosophie: Sie ist hier durch das Gespräch mit Agustin Basave, der 1986 Präsident des christlichen Weltkongresses war, vertreten. Sie ist stark an der Phänomenologie und an der christlichen Philosophie Frankreichs der 30er und 50er Jahre orientiert (Gabriel Marcel, Maurice Blondel). Sie hat auch eine ethische Ausrichtung und arbeitet an einer Kritik der Moderne. Sie lehnt aber eine Beteiligung an der Ausbildung einer kulturellen Identität Lateinamerikas ab.

5) Philosophie als Kritik der Technik: Mario Bunge, der selber Physiker ist und einen philosophischen Lehrstuhl in Kanada innehat und dessen letztes Hauptwerk 1987 bei Suhrkamp erschienen ist, widmet sich einer Kritik der Technik. Seiner Ansicht nach wurden die negativen Wirkungen der Industrie, des Handels und des Krieges allesamt von einer Technik hervorgebracht, die ihrerseits sich wiederum auf die Wissenschaft gründet. Er schlägt eine ethopolitische Kontrolle der Technik vor und sieht, daß es dazu einer Transformation der Gesellschaft bedarf. Er geht auch ausführlich auf das Verhältnis von multinationalen Konzernen, internen Oligarchien, Technik und Wissenschaft in Lateinamerika ein.

Anders denken

Eine philosophische Übung
Qualmanach 3
Q 3, Materialis & Ed. Nicole, ca. 100 S. geh., 3,00 DM, März 1989

Für den Qualmanach 3 organisierten wir wichtige Beiträge der Autoren der beiden Verlage zu dem philosophischen Schwerpunktthema »Anders Denken«. Wir berücksichtigten dabei in erster Linie die Stellungnahmen unserer prominenteren philosophischen Autoren, um mit diesem Heft eine größere Breitenwirkung für das »Anders Denken« zu erzielen. Im Qualmanach 3 schreiben folgende Autoren: Michel Foucault, Roger Garaudy, Leo Kofler, Peter Brückner, Hans-Jürgen Krahl, Stefan Immerfall, Lothar Wolfstetter.

Gerhard Stamer
Die Kunst des Unmöglichen
oder die Politik der Befreiung

Über Eduard Bernsteins halbherzigen Versuch, Marx mit Kant zu korrigieren
MT 9, Materialis, 370 S. Pb, ca. 48,00 DM, Januar 1989

Diese Arbeit entspringt dem Interesse an der Bewältigung eigener politischer Erfahrung. Der Autor, der 68er Generation zugehörig, untersucht an einem historischen Zusammenhang systematische Probleme, die sich auch in der gegenwärtigen Praxis stellen.

Die Strukturen der vorherrschenden Politikformen werden einer erkenntnistheoretischen Analyse unterzogen.

Die Thematisierung von Bernsteins Revisionismus zu diesem Zweck liegt deshalb nahe, weil seine Bedeutung vor allem darin beruht, die Erkenntniskritik Kants auf die an der Theorie von Marx und Engels orientierte Politik der deutschen Sozialdemokratie vor dem 1. Weltkrieg bezogen zu haben. Der Autor führt den Nachweis, daß der Reformismus, wie ihn Bernstein begründete, eine Erscheinungsform der Lernunfähigkeit emanzipatorischen Bewußtseins war. Bernstein konnte die selbst gestellte Aufgabe nicht lösen, weil er eine voraussetzungslose Kantrezeption betrieben hatte. Für den Autor liegen im Rückgang auf Kants »Kritik der praktischen Vernunft« die Ansätze, um über die Denkblockaden von Reformismus und Dogmatismus und von Fundamentalismus und Realpolitik hinauszukommen.

Walter Neumann
Nichts lehrt Denken

Das Ende der kritischen Theorie der Vernunft
MI 3, Materialis, ca. 144 S Pb, ca. 24,80 DM, Januar 1989

Das die Philosophie Aufhebende und Überschreitende ist ihr Denken, Sprechen und Handeln selbst. Diese ihrer selbst bewußte Praxis hat die Entfremdung des Menschen zur Grundlage. Wissenschaft aber, die nicht dieses Nichts zur Voraussetzung, sondern immer mit Etwas zu tun hat, bleibt in ihrem Handeln Tun, d.h. sie ist bewußtlos und Reflex abstrakter Arbeit. Solches Denken bringt es wie Hegel nur zur Identität von Subjekt und Objekt, während die Befreiung vom Zwangszusammenhang der bürgerlichen Gesellschaft in der Identität jener mit sich liegt.

Auch die Kritische Theorie (und die Studentenbewegung) suchte die Versöhnung in einem vernünftigen Ich, das heute zum Tauschwert geworden ist. Sie wollte das Lustprinzip gegen das Realitätsprinzip ausspielen (Marcuse), die heute durch einen gesellschaftlich gewordenen Ödipuskonflikt identisch geworden sind.

Ein neues Realitätsprinzip konstituiert sich deshalb nur von einem Standpunkt außerhalb der Vernunft: durch praktisches Denken, Sprechen, Handeln.

Concordia 13

mit dem Themenschwerpunkt »Kritik der Postmoderne«
C 13, Materialis, 124 S. Pb, 14,00 DM, September 88

Im deutschen Teil der Concordia 13, der wieder die Hälfte des Umfangs des Heftes einnimmt, finden sich diesmal:
■ ein Interview mit Manfred Frank, dem Tübinger Philosophieprof. M.F. erzählt von seinem eigenen philosophischen Werdegang seit seinem Studienbeginn 1964. Er berichtet von seinem Vermittlungsversuch zwischen der französischen Philosophie (Sartre, Foucault, Lyotard) und der deutschen Philosophie (Habermas, Apel, Gadamer). Daß wir nicht mehr in der Moderne leben, steht für ihn mit Nietzsche fest. Lyotards Unternehmen ist für ihn zwar nicht ohne Grund, aber seine Vernunftkritik ist MF zu undifferenziert. Sein Vermittlungsvorschlag war, daß Lyotard seine Differend-Theorie auf

der Konsenustheorie von Habermas aufbauen sollte. Angesichts der heftigen Reaktionen der französischen Philosophen auf dieses Ansinnen auf dem Foucault Kongreß im Januar 1988 in Paris kommt er nun zu dem Schluß: die Habermassche Kritik an der französischen Gegenwartsphilosophie ist berechtigt.

■ Auch der katholische Theologieprof. Johann-Baptist Metz aus Münster beschäftigt sich in seinem Aufsatz mit den aktuellen Fragen. Während er die Berechtigung der Befreiungstheologie vorbehaltlos anerkennt, hat er die Sorge, daß die Modernisierungsprozesse weltweit vielleicht schon die Oberhandr gewonnen haben. Die frz. Gegenwartsphilosophie (v.a. Foucault) hat für ihn ihre Berechtigung, insoweit sie eine Kritik an diesen Zuständen leistet. Gleichwohl befürchtet er, daß diese Kritik das Kind mit dem Bade ausschüttet (Tod Gottes, der Tod des Menschen). Die aktuelle Aufgabe sieht er in der gegenseitigen schöpferischen Assimilation der noch vorhandenen verschiedenen Kulturwelten.

■ Harald Holz geht in seinem Beitrag von der gegenwärtigen Diskussion über Heidegger während des Faschismus aus und versucht die Beziehung zwischen seiner reinen Philosophie und seiner praktisch-politischen Einstellung neu, und wie ich meine einsichtig, zu definieren.

■ Klaus Hedwig erklärt die Funktionen von Ecos Roman »Der Name der Rose« aus dessen Poetologie und Semiologie. Seine Darstellung und seine Schlüsse legen nahe, daß gegenüber dieser postmodernen Collage vieles zu bedenken sei.

Peter Brückner
Freiheit, Gleichheit, Sicherheit

Sonderangebote

Von den Widersprüchen des Wohlstands
MP 21, Materialis, 164 S. Pb, statt 22,80 DM jetzt 7,95 DM
Sonderangebot bis 30.5.1989

Die politische Psychologie Peter Brückners hat schon vor Foucault den Zusammenhang von Psyche und Herrschaft thematisiert. Das vorliegende Buch, das sich dem Selbstverständnis der Französischen Revolution entlang bewegt, um die Beziehung zu den Erscheinungsformen des gegenwärtigen Status quo zu analysieren, kann so als Vorarbeit zu Foucaults letzten Werken gelten.

Walter Neumann
Arbeit? Nein danke

Eine Kritik an Gewerkschaften, Grünen, Frauenbewegung und Linken zum Thema Arbeit
Edition Nicole / Materialis VA, 153 S. Pb, statt 19,00 DM jetzt 8,95 DM (Sonderangebot)

Wenn die Linke in ihrer Theorie die Arbeit nicht mehr fetischisiert, sind die Massen eher bereit, ihrer Praxis sich anzuschließen. »Arbeit? Nein danke« gilt für alle.

Horst-Volker Krumrey
Entwicklungsstrukturen von Verhaltensstandarden

Eine soziologische Prozeßanalyse auf der Grundlage deutscher Anstands- und Manierenbücher von 1870 bis 1970
mit einem Vorwort von Norbert Elias
MI 2, Materialis, 720 S Pb, statt 59,80 DM jetzt 29,80 DM (Sonderangebot)

Das Buch stellt die grundlegende empirische Aufarbeitung des Materials für eine prospektive Fortführung des Hauptwerks von Norbert Elias »Über den Prozeß der Zivilisation« ins 19. und 20. Jh. dar.

Ellen Diederich
«... und eines Tages merkte ich,
ich war nicht mehr ich selber,
ich war ja mein Mann«

Verlag 2000/Materialis VA, 140 S. Tb, statt 9,00 DM jetzt 2,95 DM (Sonderangebot)

Dies ist die Autobiografie einer Frau aus der ersten Generation der Frauenbewegung. Sie beschreibt ihre Erfahrungen vom 15. Lebensjahr bis ins Jahr 1980: Vom Ostermarsch und Lehre bis zur Arbeit bei der »Courage« in Berlin.

Bestellungen über den Buchhandel
Materialis Verlag, Rendeler Str. 9-11,
D-6000 Frankfurt 60

und somit auch eine Fundierungsmöglichkeit findet. Boden bedeutet dabei das symbolische Vorbild, das das ursprüngliche Bild für die Einrichtung des Lebens bestimmt. (10) Die Geokultur des Denkens meint also das Phänomen der Bedingung des Denkens durch die Realität des Lebens, sofern es unmittelbares Resultat der Durchdringung von Geographie und Kultur ist.

Aus der Perspektive der Geokultur wird Kusch dann die angebliche Universalität der abendländischen Philosophie als einen imperialistischen Anspruch anklagen. Jedes Denken trägt doch in sich die Gravidität seines Bodens. Aber noch wichtiger als die Anklage der Universalität der europäischen Philosophie dürfte folgender Gedanke sein: "Die Geokultur des philosophischen Denkens führt doch zu einer nicht rationalen Struktur, weil sie jenseits der reinen Philosophie liegt, d.h. dort, wo die Friktion zwischen dem sogenannten Geist und dem ihm Halt bietenden Boden stattfindet, und zwar in der doppelten Bedeutung von Deformierung und gleichseitiger Fundierung." (11) Indem es die natürliche Gravidität seines Bodens anerkennt und übernimmt, geht das philosophische Denken über seine eigene Rationalität hinaus. D.h. sein rationaler Bereich wird durch den Boden deformiert, sofern dieser mit seinem symbolischen Horizont in jenen hineinbricht und ihm Zugang zur Realität des Vorbildes des be-standenen und ver-standenen Lebens verschafft. Die Deformierung, die das philosophische Denken erfährt, wird so zur Bedingung für seine heilsame Begegnung mit dem Leben, mit der Kultur. Und gerade deshalb wird sie auch Bedingung für die eigene Fundierung des Denkens sein, worunter die Realisierung des Denkens als ein von seinem eigenen Boden getragenes Denken zu verstehen ist. Die Behauptung: "Die Geokultur führt das philosophische Denken über seine eigene Rationalität hinaus", will letztlich besagen, daß das Denken auf eine größere Dimension stößt, innerhalb derer es Sinn und Funktion seines Diskurses zu revidieren hat. Diese größere, umfassendere Dimension ist das Mythische. Ureigenes Element des Volkes und seiner Kultur ist ja nach Kusch das Mythische.

Dem philosophischen Denken bedeutet die Begegnung mit dem Mythischen die Wiederentdeckung dessen, was dem Volk wesentlich ist, nämlich das Archaische, d.h. die ursprüngliche Dimension, aus der heraus das Volk die Einrichtung des Lebens vollzieht. Die Folge daraus ist eine neue Bestimmung der Philosophie. Philosophie sollte nunmehr ein Wissen des Archaischen sein. Präzise ausgedrückt: Philosophie soll um das Archaische wissen, und zwar als Grundachse, um die der Sinn des Lebens des Volkes kreist. So kann Kusch behaupten: "Die eigentliche Aufgabe der Philosophie bei uns besteht vielleicht nicht darin, daß sie unterrichtet wird, sondern darin, daß sie wirklich darauf aufmerksam macht, in welchem Maße sie durch die lokale Gravidität deformiert wird. Und gerade diese Gravidität soll dabei wesentlich werden." (12)

Wir meinen, dem Ansatz von Kusch keine Gewalt anzutun, wenn wir nun feststellen, daß das, was bei ihm als Deformierung der Philosophie bezeichnet wird, gerade das meint, was andere lateinamerikanische Philosophen den Bruch mit der abendländischen philosophischen Tradition genannt haben. Es ist tatsächlich leicht einzusehen, daß die Deformierung der Philosophie durch die ursprüngliche Gravidität des Bodens erstens die Ablehnung der Universalität der Philosophie und zweitens - was vielleicht noch wichtiger ist - den Bruch mit dem rationalistischen Modell der abendländischen Philosophie impliziert. Bei Kusch bedeutet in der Tat die Deformierung der Philosophie das Moment, in dem das philosophische Denken die Enge der europäischen Vernunft durchbricht, sich auf seine Her-kunft besinnt und anfängt, sich als verwurzeltes Denken zu entfalten. So verstanden ist die Deformierung der Philosophie ermöglichende Bedingung und zugleich anfänglicher Ausdruck lateinamerikanischer Philosophie.

Daß die Deformierung der Philosophie bei Kusch tatsächlich den radikalen Bruch mit der vom Rationalismus geprägten europäischen philosophischen Tradition impliziert, wird noch deutlicher, wenn man die Tatsache berücksichtigt, daß nach ihm sich das Archaische bzw. das ursprünglich Amerikanische in einer Kultur des "Sich-Befindens" ausdrückt, die auf das rationalistische philosophische Denken europäischen Stils Druck ausübt, damit es die objektivierenden Kategorien, die den Reichtum der Wirklichkeit auf bloße konstruierte Objektivität reduzieren, aufgibt und sich jenseits von Rentabilität und Effizienz zur unbestimmbaren Tiefe seines Bodens öffnet. Dadurch soll der Anfang einer neuen Denkart signalisiert werden, die, weil sie sich der Heiligkeit des Lebens verpflichtet weiß, den aggressiven Seinsentwurf des europäischen Denkens durch das zurückhaltende lateinamerikanische Projekt des "Sich-Befindens" überwindet. (13)

Ähnlich wie Kusch argumentiert Carlos Cullen, dessen Ansatz die Frage um die Möglichkeit einer lateinamerikanischen Philosophie im Kontext und aus der Perspektive der in den Kulturen Lateinamerikas lebendigen Volksweisheit erörtert. Cullens Ausgangspunkt lautet: Die neue Bestimmung der philosophischen Reflexion in Lateinamerika findet ihre Basis in der "Entdeckung der Nation", denn nur auf dem Weg der Nation als vermittelnde Instanz kann eine authentische Befreiung der Philosophie garantiert werden, was wohl unbedingte Voraussetzung für die Herausarbeitung einer Philosophie der nationalen Befreiung ist. Aber was ist mit dem Begriff "Entdeckung der Nation" gemeint?

Zunächst soll die "Entdeckung der Nation" nach Cullen im engen Zusammenhang mit dem Befreiungskampf der Völker gesehen werden. Die Völker sind es, die die Nation als ihre eigene Geschichte entdecken. Genauer: durch ihre Befreiungsgeschichte werden die Völker selbst zur Nation. Die "Entdeckung der Nation" meint also den geschichtlichen Prozeß, durch den ein Volk zur Wahrheit seiner nationalen Seinsweise gelangt. In diesem Prozeß allerdings sind folgende Momente zu unterscheiden: 1) nationale Organisation; 2) koloniale Unabhängigkeit und 3) Entdeckung der nicht imperialen Nation.

Zur ersten Etappe der nationalen Organisation gehört der Widerstand des Volkes gegen den politischen Entwurf der imperialen Totalität, die das Volk von außen her zu organisieren versucht. Indem das Volk fremden Formen politischen Lebens widersteht, behauptet es das nationale Bewußtsein, und zwar nicht nur deshalb, weil es um das Eigene kämpft, sondern auch, weil es zu sich selbst als "Erinnerung des Widerstandes" (14) findet. Gerade auf der Basis dieser lebendigen Erinnerung, in der das Volk die Hoffnung auf eine gelungene Identität bewahrt, wird sich der definitive Bruch mit dem fremden Entwurf der nationalen Organisation ereignen. Unversöhnlich werden sich dann einerseits das Volk, das widersteht und sein nationales Bewußtsein verteidigt, und andererseits die importierte, durch den liberalen Staat repräsentierte Totalität gegenüberstehen.

Gekennzeichnet ist das Moment der kolonialen Unabhängigkeit durch die Verinnerlichung der Entzweiung, die in der Etappe der nationalen Organisation hervorgerufen wird. Denn auch in dieser Periode bleibt die Entzweiung weiterhin bestehen, weil zum Sieg nicht das widerstehende Bewußtsein des Volkes, sondern eine Minderheit kommt, die - im Geist des Imperiums ausgebildet - die Funktion des Imperiums in der formal unabhängigen Nation übernimmt und weiterführt. Nun "ist der Herrscher mitten drin in der Nation; er ist die 'nationale' Intelligenz, die im Dienste des liberalen Staates steht." (15) War früher der Widerspruch als Gegensatz zwischen Nation und Imperium bewußt, so ist er auf dieser Stufe zum inneren Widerspruch geworden; ein Widerspruch, der die Nation spaltet und sich im Kampf des Volksbewußtseins gegen die pseudonationale Identität der überfremdeten Bourgeoisie ausdrückt. Dieser Widerspruch führt zur Verhärtung der Fronten und schließlich auch zum "integralen Krieg". Der Krieg steht für das dritte Moment, in dem die Nation im strikten Sinne entdeckt wird. Im Krieg weiß das Volk um sich selbst als wahrer Repräsentant der Nation und weiß deshalb, daß sein Krieg dem Anti-Volk gilt.

Die "Entdeckung der Nation" meint also den historischen Prozeß, durch den das Volk sein eigenes Sein wiedergewinnt. Welche Konsequenz hat aber dieses Ereignis für die Philosophie? Die wesentliche Konsequenz liegt doch auf der Hand: das als Nation konstituierte Volk soll reales Subjekt der Philosophie sein. Das bedeutet aber, daß im Prozeß der "Entdeckung der Nation" die herkömmliche Philosophie als eine abstrakte, mimetische Reflexion entlarvt wird, die sich nicht nur abseits vom Volk, sondern sich sogar gegen die Erinnerung des Volks und die darin gepflegte Hoffnung auf Befreiung entwickelt hat. Die "Entdeckung der Nation" legt also den volksfeindlichen Charakter der Philosophie an den Tag, und zwar deshalb, weil sie das Moment darstellt, wo das Volk sein Selbstbewußtsein erlangt und seine politische, kulturelle Identität in einer ihm eigenen Form artikuliert. Im Spiegel des Selbstbewußtseins des Volks wird doch die Mitschuld der Philosophie am unterdrückenden Kulturkolonialismus offenkundig. Daher - wie bereits oben angedeutet - bestimmt für Cullen die "Entdeckung der Nation" die Befreiung der Philosophie und stellt so zugleich die Bedingung dafür dar, daß Philosophie Befreiungsphilosophie werden kann.

Auf der Basis der allgemeinen Befreiung von der kolonialen Abhängigkeit hat die Philosophie die Möglichkeit, bewußte Explizitmachung des Aneignungsprozesses des Volkes zu sein. Und die Philosophie, will sie nicht an der Sterilität ihrer Abstraktheit zugrunde gehen, sollte diese Möglichkeit ergreifen. Die Ergreigung dieser Möglichkeit, die die konsequente Einwurzelung der Philosophie in die Befreiungsgeschichte des Volkes bedeuten würde, setzt allerdings den radikalen Verzicht der Philosophie auf ihre abstrakte, das Leben verfälschende Konstruktion voraus. Bedingung für ihre Erneuerung aus dem Volk ist die Absage an die sterile Abstraktion. Es geht also um einen neuen Anfang der Philosophie, der durch das Volk bestimmt ist. Aber was ist das, das Volk? Oder genauer gefragt: Was macht das Eigentümliche der Volksweisheit aus, das den neuen Anfang der Philosophie anregen soll? Diese Frage kann nach Cullen keine "Phänomenologie des Geistes" beantworten. Ihre Erörterung bedarf vielmehr einer Phänomenologie der Erfahrung der Völker, die den Zugang zum ursprünglichen Moment der Volksweisheit ermöglicht. Deshalb will Cullen keine Phänomenologie im Hegelschen Sinne, d.h. als "Wissenschaft von der Erfahrung des Bewußtseins" erarbeiten. Seine Phänomenologie findet ihren Ausgangs- und Endpunkt in der Erfahrung der Volksweisheit. Ihr geht es ja darum, diese Erfahrung nicht aufzuheben, sondern darum, sie als determinierendes, ursprüngliches Element der gesamten Entwicklung der Volksweisheit auszuweisen.

Im Anschluß an Kusch sieht Cullen den unmittelbaren, unreduzierbaren Bereich der Weisheit der Völker im Moment des "Sich-Befindens" des Volkes, und zwar in der Unmittelbarkeit seines Bewußtseins als Volk, das sich einfach da gefindet. Die Nähe zu Kusch darf jedoch das Neue in Cullens Ansatz weder verbergen noch relativieren. Zwar übernimmt Cullen in seinem Ansatz Kuschs Deutung des "Sich-Befindens" als ursprünglichen Zug der lateinamerikanischen Kultur, führt aber einen wesentlichen neuen Aspekt ein, indem er das "Sich-Befinden" als den anfänglichen, unzurückführbaren Zustand einer Subjektivität deutet, die ursprünglich um sich selbst als "Wir" weiß. Das Volk befindet sich, und es befindet sich aus der Grunderfahrung heraus, daß es Subjekt einer Volksgemeinschaft, ein "Wir" ist. Cullen faßt es so zusammen: "Die Erfahrung der Weisheit der Völker ist die Erfahrung des *wir befinden uns* (nosotros estamos)." (16)

Weil die Volksweisheit ihren Standpunkt in der Erfahrung des "wir befinden uns" hat, steht sie nicht nur in einer Tradition, die von der Tradition des neuzeitlichen europäischen Bewußtseins radikal verschieden ist, sofern es Bewußtsein vom Ich ist. Von ihrem Ursprung her eignet sie sich zudem einen eminent ethischen Charakter an. Das "Wir", das im Volksbewußtsein offenbar wird, "ist ethisch, da es eine Begegnung miteinander, die als absolut normierte Beziehung zueinander vollzogen wird, impliziert." (17) In der Tat stellt für Cullen die Volksweisheit ein Wissen dar, dessen Entwicklungsdynamik eigentlich den Entfaltungsprozeß ihrer konstitutiven ethischen Verwurzelung verkörpert. Anhand ihrer Entwicklung, die Cullen in drei Hauptmomenten aufzeichnet, wird das sehr deutlich. Diese Momente sollen nun kurz erörtert werden.

Erstes Moment in der Entwicklung der Weisheit der Völker ist die Verwurzelung in der (Mutter) Erde. Der Anfang eines Volkes und die Erfahrung, zu einem bestimmten Ort zu gehören, laufen ineinander. Es ist die Erfahrung des Eingerichtetseins; das Erleben der Faktizität des "Sich-Befindens" als Verwurzelung in der Erde, was am Anfang des Selbstbewußtseins eines Volkes steht. In diesem Zusammenhang hebt Cullen hervor, daß "im Unterschied zur 'Wissenschaft' die Volksweisheit mit der Verwurzelung ansetzt, und nicht mit der Absonderung oder der Entfremdung. Es handelt sich nicht um einen Gegensatz zum Anderen, sondern um die Erfahrung des Aufgehoben-Seins im Anderen." (18) Als Erfahrung des Aufgehoben-Seins weist die Verwurzelung in der Erde darauf hin, daß das Volk sich aus seiner Zugehörigkeit zur Erde versteht. Die Erde ist dem Volk nicht feind, sie ist für es nicht das Andere. Vielmehr erscheint die Erde als Symbol des Lebens überhaupt. Sie ist das Lebensprinzip, aus dem das Volk herkommt, und als solches ist sie auch Prinzip der "vitalen Solidarität", wodurch das Volk das Bewußtsein seiner gemeinsamen Herkunft und Zugehörigkeit ausdrückt.

Mit der Verwurzelung in der Erde wird das "Wir" zum Leben geboren. Aber gerade deshalb, weil die Verwurzelung zum Leben des "Wir" führt, wird sie in der Erde nicht als unmittelbare Gegebenheit, als pure Faktizität erlebt. Da das "Wir" lebt und sich grundsätzlich als Versuch erlebt, sich im Sinne einer gelungenen Gemeinschaftssubjektivität zu verwirklichen, erlangt die Verwurzelung in der Erde doch den Charakter einer Aufgabe, die gemeinsam zu bewältigen ist. Dem selbstbewußten "Wir" entzieht sich die Erde in ihrer Eigenschaft als unmittelbare, schützende Dimension. Sie ist nicht mehr Mutter Erde, sondern Natur. Und gerade gegenüber der Natur wird die Verwurzelung zur mühevollen Aufgabe. Nichtsdestoweniger soll die Erfahrung der Verwurzelung als Aufgabe immer in Zusammenhang mit der Grunderfahrung der Erde als Symbol der Geborgenheit gesehen werden. Der Erfahrung der Verwurzelung als Bemühen des Menschen liegt doch das ursprüngliche Erlebnis der Erde in ihrer geborgenheitsstiftenden Erscheinung zugrunde. Mit anderen Worten: das Urvertrauen zur Erde ist es, das den Entwurf der Verwurzelung ermöglicht. Von der Verwirklichung dieses Entwurfs hängt übrigens die Selbstverwirklichung des "Wir" im Sinne einer gelungenen Volksgemeinschaft ab.

Wichtig ist aber festzuhalten, daß in beiden Fällen die Verwurzelung in der Erde eine konstitutive ethische Bedeutung mit sich bringt. Es handelt sich ja um ein Ereignis, das eine Urbeziehung zum Anderen, ein direkte Vermittlung der Subjektivitäten angesichts der gemeinsamen Aufgabe hervorruft.

Die erste, fundamentale Differenzierung des ethischen Gehalts der Verwurzelung in der Erde stellt sich allerdings erst im zweiten Moment ihrer Entwicklung heraus. Gemeint ist ein Phänomen, das Cullen in der Formel "die Errichtung der Wohnung oder das Wohnen" (19) zusammenfaßt und das die Verwandlung des unmittelbaren "Wir" der vorangehenden Stufe in ein Paar signalisieren soll. Das "Wir" differenziert sich und wird also zum Paar; ein Paar, das die Erde als Wohnung sucht, um sie zu bewohnen. Auf dieser Stufe, sagt Cullen, "wird das 'Wir' ein Paar und die Erde Wohnung." (20) Hinzu kommt aber noch, daß dadurch, daß das Paar die Wohnung bewohnt, es ihre räumliche Indifferenz aufhebt und sie zum Heim macht. Als Heim stellt nun die Wohnung den Intimitätsbereich des Paars dar, ohne deshalb jedoch die Bedeutung ihrer Öffentlichkeit als Wohnung, die die Einrichtung des "Sich-Befindens" zum Ausdruck bringt, zu verlieren. die Zweideutigkeit von Intimität und Öffentlichkeit sollte die Wohnung aushalten können, denn ist die erste für die Umwandlung des Paares in eine Familie notwendig, so ist die zweite unerläßlich für die Entstehung der Kultur.

Konkret wird allerdings die konstitutive Moralität der Volksweisheit im dritten Moment, wo das Volk sich dessen bewußt wird, daß es in der Heimat lebt. Das Volk ist nun explizites politisches Bewußtsein, und als solches drängt es auf die Realisierung seines ursprünglichen Entwurfes, nämlich die gerechte Gemeinschaft. Voraussetzung dafür ist aber die Erfahrung der Erde als Heimat und Vaterland, d.h. als Fundament der gemeinsamen Tradition, die das ganze Volk in seiner Herkunft und Zukunft bestimmt.

Zusammenfassend darf festgehalten werden, daß die Ansätze von Kusch und Cullen im wesentlichen darauf abzielen, im Rekurs auf die Weisheit der Volkskultur die Grundpfeiler für einen neuen Ausgangspunkt der Philosophie Lateinamerikas freizulegen. Aus ihrer Sicht gilt es, die Philosophie zu inkulturieren. Auf diese Weise soll es möglich werden, die Trennung zwischen lateinamerikanischer Kultur und Philosophie zu überwinden. Denn die Inkulturation wäre ja die Einbürgerungsurkunde der Philosophie in Lateinamerika.

Ferner darf noch eins hervorgehoben werden. Nach den Ansätzen von Kusch und Cullen hat die Einwurzelung der Philosophie in der Kultur Lateinamerikas zwei tiefgreifende, ihrer Umorientierung zugrundeliegende Konsequenzen zur Folge: 1) Das Volk wird historisches Subjekt der Philosophie und 2) das "Sich-Befinden" - ursprüngliche Erfahrung der Weisheit der Völker - stellt den eigentlichen Verstehenshorizont der philosophischen Reflexion dar. Wir haben es hier mit einer Perspektive zu tun, die noch nicht voll entwickelt ist, über die aber gesagt werden dürfte, daß sie Basis für einen bedeutenden lateinamerikanischen Beitrag zur Philosophie überhaupt sein kann. Angedeutet wird damit ihre Weiterentwicklung zu einem neuen umfassenderen philosophischen Verstehenshorizont, der - weil er auf einer Efahrung gründet, die ursprünglicher als die des Seins und des Geschehens ist, als die Erfahrungen also, die die zwei fundamentalen metaphysischen Horizonte des europäischen philosophischen Denkens bestimmt haben - diese beiden Denkhorizonte integrierend aufheben und der Philosophie so zu einem radikaleren Neuanfang verhelfen soll. (21)

Wir kommen zur Erörterung der marxistisch orientierten Strömung der Befreiungsphilosophie. Dabei halten wir uns ausschließlich an das Werk von Enrique D. Dussel. Sein Werk hat ja Modellcharakter für diese Strömung innerhalb der Befreiungsphilosophie Lateinamerikas.

Heben die Vertreter des kulturethischen Ansatzes die Bedeutung der Geokultur des Denkens hervor, so ist für die Verfechter der marxistisch orientierten Befreiungsphilosophie die besondere geopolitische Situation Lateinamerikas hervorzuheben. Dussel z.B. befaßt sich zunächst mit dem Einfluß der Geopolitik bzw. der geopoligischen Situation auf die philosophische Reflexion. In diesem Zusammenhang darf vorausgeschickt werden, daß das Verständnis der geopolitischen Situation, das in Dussels Ansatz zugrunde gelegt wird, auf das Konzept der Dependenztheorie zurückgeht. Mitgemeint ist folglich mit dem Hinweis auf die geopolitische Situation die Teilung der Welt in ein "Zentrum", das unterdrückt, und in eine "Peripherie", die unterdrückt wird. Aus der so verstandenen geopolitischen Situation interpretiert Dussel die gesamte Geschichte der Philosophie und stellt dabei fest, daß politisch befreiende Philosophie eigentlich nur im peripheren Kontext artikuliert werden kann. Denn dort findet die Philosophie die Voraussetzung dafür, sich als Befreiungspraxis gegen die Macht des unterdrückenden Zentrums zu konstituieren. Daraus folgt ferner die grundlegende Bedeutung der geopolitischen Situation für die Vermittlung zwischen philosophischer Reflexion und politischer Befreiung.

Um die zentrale Bedeutung der geopolitischen Situation als Träger der Vermittlung von Philosophie und Befreiungspolitik besser verstehen zu können, muß noch eines bedacht werden. In Dussels Ansatz stellt die geopolitische Situation gerade das dar, was die Philosophie zu denken hat. Mit anderen Worten: die geopolitische Situation - sofern sie das darstellt, worauf sich die Philosophie zu besinnen hat - ist nicht nur ein wesentlicher Bestandteil der Philosophie, sondern auch der reale Inhalt, der ihren historischen Vollzug stimmt und bestimmt. Oder noch konkreter: in einem geopolitischen Kontext, der durch die periphere Situation der Unterdrückung und Fremdherrschaft determiniert ist, stellt dieser sowohl das "Worüber" als auch das "Woher" der philosophischen Reflexion dar. Die Philosophie hat so über die Unterdrückungssituation und aus ihr heraus zu denken, und zwar im Hinblick auf ihre praktische Beseitigung.

Die Bedeutung der geopolitischen Situation für die Philosophie erschöpft sich allerdings nicht nur darin, die Vermittlung zwischen Philosophie und befreiender Politik zu tragen und zu sichern. Darüber hinaus fungiert die geopolitische Situation der Peripherie als Kriterium für die Authentizität des Philosophierens. Dussel selbst weist ausdrücklich darauf hin: "Die philosophische Reflexion ist nie so authentisch, so rein, so präzise als wenn sie von der Unterdrückung ausgeht und kein Privileg zu verteidigen hat, weil sie eben keines hat." (22) Aus der Sicht der geopolitischen Situation der Peripherie lehnt Dussel daher die im "Zentrum" herausgearbeiteten philosophischen Systeme als ideologische Produkte ab. Nach seiner Meinung sind sie unauthentische, abstrakte Konstruktionen, die bewußt oder unbewußt zur ideologischen Rechtfertigung der Herrschaft und Machtstellung des "Zentrums" beitragen. Sie denken ja die Realität des "Zentrums" als einzige Realität und einzige Quelle von Sinn und Wahrheit. Im "Zentrum" - so Dussel weiter - ist die Philosophie eigentlich Ideologie, d.h. Apologie imperialistischer Politik. Zwar äußert sich die Philosopie im "Zentrum" in den verschiedensten Systemen, aber bei allen ihren Systemen - gleich ob es sich dabei um Aristoteles, Thomas von Aquin oder Nietzsche handelt - ist die ideologische Ausrichtung unverkennbar. Sie alle versuchen doch, die Rechtsordnung ihrer Gesellschaften als allgemein gültig zu legitimieren. Indem sie das Denken auf die Legitimation des Bestehenden hin ausrichten, richtet die Philosophie allerdings das Denken zugrunde und verurteilt sich selbst zum Tode. Die Preisgabe der kritischen Dimension des Denkens ist der Tod der Philosophie bzw. die Geburtsstunde einer entarteten Philosophie, die den Totalitarismus des "Zentrums" ideologisch zu rechtfertigen versucht.

Mit der Ablehnung der Philosophie des "Zentrums" ist also die Ablehnung der Entartung der Philosophie in einer Ideologie gemeint, die - weil sie das Sein mit Herrschen verwechselt - nur das Herrschende zu denken vermag. Ihr Denkhorizont ist das Sein als Herrschaft oder, genauer, das Sein, das ist, indem es sich herrschend durchsetzt. Die Ablehnung der Philosophie des "Zentrums" bedeutet deshalb auch Auflehnung gegen die Gleichsetzung des philosophischen Denkbereichs mit dem Machtbereich des "Zentrums". Diese nicht immer explizite Gleichsetzung ist übrigens der eigentliche Grund dafür, daß die westliche Philosophie zum ideologischen Instrument imperialistischer Machtpolitik wird. Aber noch ein Wort zur Bedeutung der Gleichsetzung von Imperium und philosophischem Denkbereich bzw. Seinsbereich.

Dadurch, daß die Realität des Imperiums zum Reich des Seins überhaupt erhoben wird, mußte doch die Peripherie im Grunde als nicht existent erscheinen. Sie lag jenseits des Seins (des Imperiums), sie war das Nicht-Sein und deshalb auch an sich wertlos. Die tiefere Bedeutung der Gleichsetzung von Imperium und Seinsbereich liegt für die Peripherie also darin, daß sie Grundlage für die Negation der ontologischen und anthropologischen Dignität der Menschen in der Peripherie ist. Diese Ausschließung aus der menschlichen Gemeinschaft ist zugleich auch als Ausstoßung aus dem Reich Gottes zu verstehen, denn das Imperium erhebt ebenso den Anspruch, Verkörperung des Reichs Gottes zu sein.

Diese Erläuterung soll uns folgenden Sachverhalt verdeutlichen helfen. Aus der Sicht der philosophischen Ideologie des Imperiums, das absoluter Maßstab für Menschliches und Göttliches sein will, muß ja die aus der Peripherie stammende Philosophie - gerade in ihrem ersten Ausdruck als Auflehnung gegen das imperiale Welt- und Menschenverständnis - als eine solche erscheinen, die "barbarisch" und "atheistisch" denkt. "Barbarisch" denkt sie, weil sie nicht in den Kategorien des Logos der Herrschaft denkt. "Atheistisch" denkt sie, weil sie die ontologische Differenz der Peripherie aufwertet und die Vergöttlichung der imperialen Seinstotalität ablehnt. (22) Und in der Tat will die periphere Philosophie so und nicht anders denken, den "barbarisches", "atheistisches" Denken it für sie befreiendes Denken. Dussel sagt es lapidar: "Ja!, was wir wollen, das ist ja gerade eine 'barbarische Philosophie'." (24) Nur ist diese "barbarische" Philosophie aus ihrem eigenen Selbstverständnis heraus eben Philosophie der Befreiung. Sie versteht sich als eine Philosophie der Alterität, die - auf der Basis der historischen Erfahrung der peripheren Völker - zur Befreiung der durch das Identitätsdenken des Imperiums negierten Differenz der Peripherie beizutragen hat. Hierzu nochmals Dussel: "Gegen die klassische Ontologie des Zentrums, von Hegel bis Marcuse, um nur die schärfsten Geister Europas zu nennen, entsteht eine Philosophie für die Befreiung der Peripherie, der Unterdrückten, des Schattens, den das Licht des Seins nicht erhellen vermochte. Aus dem Nicht-Sein, aus dem Nichts, aus dem Anderen, aus der Exteriorität, aus dem Geheimnis der Sprachwidrigkeit heraus wird unser Denken entspringen." (25)

Aus dem bisher Gesagten geht hervor, daß - wie die eben zitierte Stelle besonders eindeutig zeigt - diese andere Strömung der Befreiungsphilosophie auch den radikalen Bruch mit der westlichen philosophischen Tradition zur Voraussetzung hat. Allerdings bekommt hier der Bruch mit der europäischen Philosophie eine besondere Nuance, indem er als bewußte Zurückweisung gedacht wird, und zwar im Horizont eines anderen Denkens, das sich ganz entschieden gegen die Machtideologie des "Zentrums" artikuliert.

Aber auch jene andere zentrale Aussage der kulturethischen Strömung, nach welcher das Volk Subjekt der Philosophie ist, läßt sich in Dussels Ansatz ebenfalls wiederfinden. Denn das "Nichts", die Alterität, die Dussel zum absoluten Ausgangspunkt der befreienden Philosophie macht, meint nichts anderes als die peripheren Völker, die um ihre Befreiung kämpfen. Die Konsequenz daraus ist auch schon bekannt: Philosophie soll sich in der befreienden Praxis des Volkes aufheben, d.h. sie soll sich in der revolutionären Praxis wiedererkennen und sie als ihren vollendeten Ausdruck anerkennen. Bei Dussel wird jedoch auch dieses Argumentationsmoment radikaler bzw. breiter angelegt. Denn für ihn soll sogar die neue Metaphysik, die die Befreiungsphilosophie als Reflexion über das bestehende Herrschaftssystem vom Standpunkt der Exteriorität des unterdrückten Volkes aus herauszuarbeiten hat, Politik sein. Konkreter gesagt: Für die Befreiungsphilosophie soll Politik 'erste Philosophie' sein, und zwar in einem doppelten Sinr. Einerseits soll die Politik den Kern der ersten Philosophie ausmachen, weil sie den Anfang der Befreiung darstellt und sich als radikale Kritik der bestehenden

Anders handeln ?

Emphatische Sozialwissenschaft
und andere Geschichte
bei Materialis

Seit Freud wird der Mensch damit konfrontiert,
daß er nicht nur für sein Bewußtes und seine »guten Absichten«,
sondern auch für sein Unbewußtes verantwortlich ist.
Seine Handlungen nicht seine Worte allein sprechen für ihn.
Erich Fromm

Henner Nordmann, Andrea Maag, Peter Mickenbecker, u.a.
Wozu sind die Füße da?

Zum gewaltlosen Widerstand im Straßenverkehr
EE II, Materialis, ca. 132 S., Pb m. 8 Fotos, ca. 24,80 DM (Juni 88), 3-88535-120-X

Dies ist keine Anthologie zum Thema Auto sondern eine Sammlung von 22 Erzählungen, Satiren und Erfahrungsberichten von denen, die entweder mitten in dem Prozeß stehen, das Autofahren zu problematisieren oder die schon aufs Autofahren ganz oder partiell verzichtet haben und die über ihr Praktizieren von Alternativen (Radfahren, Solarmobil, Gehen) reflektieren.
Die Berichte zeigen: Ihre Perspektive weist zwar je nach der eigenen, spezifischen Lage (Kinder, Jugendliche, Ältere, Unifreaks, Frauen, Grüne u.a.) verschiedene Momente auf. Alle sind aber dem Autoverkehr ausgesetzt und erfahren die Gewalt, die ihnen dieser zufügt.
Die Autofahrer hingegen haben eine andere Perspektive. Da ihnen das Erleben des Geschwindigkeitsrausches und die Bequemlichkeit vorgeht und sie sich die Kräfte ihrer Maschine letztlich selbst zuschreiben, wollen sie die andere Perspektive, wenn sie ihnen in die Quere kommt, zumeist nicht anerkennen und werten sie als nicht-normal ab. Dies verdoppelt aber die Gewaltsamkeit, da so nicht nur die eingesetzten Maschinenkräfte Gewalt ausüben, sondern auch die steuernden Auto-Menschen gewalttätig denken und sich auch so verhalten.
Das Praktizieren der Alternative in dieser Situation erfordert daher ein erfinderisches Verhalten, einiges Problematisieren und die Einübung der neuen Verhaltens- und Reaktionsweisen, die man sich vorgenommen hat. Dies kann man mit Gandhi als gewaltlosen Widerstand im Straßenverkehr begreifen. Die Gewaltlosigkeit liegt hier im Verzicht auf die Bewaffnung, das Auto, und damit die Ausübung von Gewalt. Letztlich würde dazu auch eine Politik gehören, die darauf abzielte, daß durch einzelne gezielte Kampagnen die Autofahrer von ihrem Kurs abgebracht werden. Doch da sind die Fahrradinitiativen u.a. noch nicht sehr weit. Währenddessen ist aber die technische Seite weiterentwickelt worden (Fahrräder, Solarmobile), wie drei Berichte zeigen. Und es wird auch darüber reflektiert, daß das Gehen gegenüber dem Radfahren im dichten Autoverkehr doch u.U. vorzuziehen ist, da man sich so mehr aus der Konfrontation mit den Autos rausziehen kann.

Angelika Zeisberg
Die Sannyasins in Bad Bhagwan

Geschichte ihrer sekundären Sinnangebote als Antwort auf das neue Phänomen der Postadoleszenz
D 12, Materialis, 128 S., 21,80 DM, Pb, ISBN 3-88535-096-3

Aus den linken Hannoveraner Instituten für Psychologie, Soziologie und Politische Wissenschaften heraus wurde um 1975 die Theorie des neuen Sozialisationstyps (NST) geschaffen, um die Wandlungen in den neuen Protestgenerationen zu erklären. Um 1980 folgte von denselben Instituten die Theorie von den neuen sozialen Bewegungen (NSB).
A.Z. nun wendet diese beiden Theorieelemente auf die Analyse der Sannyasins an. A.Z. kommt in ihrer Analyse zu dem Schluß, daß die Sannyasins nicht, wie es landläufig geschieht, als eine Jugendsekte zu begreifen sind, sondern als eine Gruppierung von narzißtisch fixierten Post-Adoleszenten im Rahmen der neuen sozialen Bewegung.
Damit kann A.Z. einen historisch-systematischen Grund für die Entstehung und Ausbreitung der Bhagwan-Gruppierung ausmachen: In der geschichtlichen Phase der weltweiten Legitimations- und Wachstumskrise und der

offenen Umbruchsituation seit 1968 haben eine Reihe von aufeinanderfolgenden Generationen ihre Adoleszenz durchlaufen. Viele wurden durch ihre Protestaktionen in eine gesellschaftliche Außenseiterrolle gedrängt. Die Aufrechterhaltung dieser Rolle über die Adoleszenz hinaus brachte das neue Phänomen des Postadoleszenz hervor. Die Adoleszenz wurde dadurch nicht nur verlängert, sondern auch zum Leitbild dieser Generationen. Als dann die Protestbewegung in die Krise kam, entstanden die ersten Versuche, das Subjekt- und Sinnproblem in den Mittelpunkt eines neuen Lösungsansatzes zu rücken.

Hier setzte die Bhagwan-Gruppierung an. Ihre sekundären Sinnangebote und ihr Angebot des Einstiegs bei ihr als Ausstieg aus der Gesellschaft schienen die psychischen Probleme für viele Angehörige der linken und alternativen Szene zu lösen. Das enge Zusammenleben in ihren Kommunen, das zunehmend reglementiert und ritualisiert wurde, brachte aber durch die Vermassung und die Infantilisierung psychische Veränderungen hervor. Wie aber die Krise von 1985 zeigte, wurden dadurch die Sannyasins nur normalisiert im Sinne einer Schiefheilung (Freud), wurden innerhalb der Binnenorganisation nur neue Herrschaftszustände aufgebaut und entmischte sich schließlich auch wieder die Kombination von Meditation und Therapie. Auch scheiterte der Aufbau einer alternativen Lebens- und Wirtschaftsform.

Im Gegensatz zu Henkel in seinem Buch „Narziß und Goldstein" untersucht A.Z. nicht nur den narzißtisch-pathologischen Charakter der Sannyasins und ihre illusorische Liebesbindung an Bhagwan. Sie will darüberhinaus zweierlei zeigen: 1) Durch eine Selbsthermeneutik lassen sich die Lehren und Anschauungen der Sannyasins von innen her rekonstruieren. Dadurch kann erst das bestehende Defizit an Sachverstand für eine Beurteilung durch Außenstehende abgestellt und zugleich die eigene Fixierung auf eine feindliche Haltung gegenüber den Sannyasins aufgehoben werden.

2) Die vorwiegend narzißtischen Dispositionen der Sannyasins bleiben während ihrer Bhagwan-Zeit nicht unverändert. Sie werden vielmehr durch die spezifische Binnen-struktur in Veränderungen hineingezwungen, die spezifische Züge der Hervorbringung des Massenindividuums haben. Dadurch erfüllt die Bhagwan-Gruppierung aber die soziale Funktion einer normalen Nach-Pathologisierung von Teilen der Protestgeneration.

Hans-Bernhard Schlumm
Die neue Heimat in der Fremde

Die Entwicklung der Gastarbeiter-Nationalität zur Einwanderungsminorität in der Bundesrepublik
MP 24, Materialis, 170 S., A 5, 29,80 DM, ISBN 3-88535-092-0

H.S. untersucht in seinem Buch, wie die griechische Gastarbeiter-Nationalität eine Kolonie oder eine spezifische Subkultur innerhalb der multikulturellen Gesellschaft der Bundesrepublik geworden ist.
Er weist auf, daß die sozialwissenschaftliche Gastarbeiter-Forschung noch weitgehend Aporien folgt, die von der offiziellen Politik aufgebaut wurden. Diese will den Gastarbeitern den Einwanderungsstatus verweigern und behandelt sie demnach nicht als Menschen, sondern ganz enthumanisierend rein als abstrakte Arbeitskraft. Dies stellt ein aus dem Faschismus herübergerettetes „Erbe" dar, das auch durch die Umetikettierung hindurch (vom Fremdarbeiter zum Gastarbeiter) bestimmend bleibt und durch die offiziell geschürte Ausländerfeindlichkeit wieder ganz virulent wird.
H.S. weist darauf hin, daß wir von der griechischen Auswanderergesellschaft in unserer Mitte in besonderer Weise lernen können:
1) Identität ist nur aus gelebter und praktizierter Kultur zu ziehen. Es geht nicht darum, die Ausländer zu germanisieren, sondern die vielfältigen Anstöße aus ihren Kulturen aufzunehmen und sie in unsere Kultur zu assimilieren.
2) Die Anerkennung der Bundesrepublik als Einwanderungsgesellschaft schafft erst die wirkliche Vorbedingung für einen solchen kulturellen Assimilationsprozeß. Die Ausländerfeindlichkeit dagegen projiziert nur unsere immer noch fehlende kulturelle Identität auf einen Feind und kann daher, wenn sie weithin angenommen wird, nur in eine pathologische Schein-Identität münden.
3) Die bis auf die Antike zurückgehende, kontinuierliche Auswanderergesellschaft der Griechen hat als bestimmte Form der traditionalen Gesellschaft durch alle Wandlungen hindurch ihre Identität gewahrt und damit allen Versuchen der kapitalistisch-ökonomistischen Transformation weitaus besser widerstanden, als es die traditionalen Gesellschaften der kapitalistischen Kernländer vermochten. Sie bietet damit Anknüpfungspunkte, die bei uns traditional verschüttet sind und kann diese als wichtigen Beitrag in die Transformation der Bundesrepublik einbringen.

Raúl Fornet-Betancourt
Philosophie und Theologie der Befreiung

Mit einem Vorwort von Enrique Dussel
LS 2, Materialis, 112 S., Pb, 21,80 DM (Juni 88), ISBN 3-88535-119-6

Wie Enrique Dussel, einer der führenden Befreiungsphilosophen, in seinem Vorwort schreibt, ist Fornet mit diesem Buch der erste, der die Befreiungsphilosophie und die Befreiungstheologie in einer Studie systematisch miteinander in Beziehung setzt. Fornet macht dies aber nicht rein abstrakt-methodisch, sondern am konkreten Gegenstand.

Den Hauptgegenstand bilden dabei die päpstlichen Instruktionen von 1984 und 1986 zur Befreiungstheologie. Er kann dabei einsichtig machen — und hier beruht seine Argumentation in erster Linie auf der Befreiungsphilosophie, mit der er die entscheidenden Begriffe detailliert begründet —, daß die herrschende Lehre der katholischen Kirche mit ideologischen Versatzstücken operiert. Die ganze Argumentation von Fornet ist sehr einleuchtend, da sie dem europäischen Leser die andere Perspektive, die Perspektive von Lateinamerika, über die Auseinandersetzung mit der europäischen Perspektive, dem Vatikan, nahebringt.

So kann Fornet bei jedem einzelnen Vorwurf aufzeigen, daß der Marxismusvorwurf nicht trifft, sondern eine spezifische lateinamerikanische Entwicklung nur mit diesem Feindbild belegen will:
— die von der BT verwendete Dependenztheorie ist eine Neuentwicklung der lateinamerikanischen Sozialwissenschaften der späten 60er Jahre und mit dem Marxismus keineswegs identisch;
— Die Kultur der Armen (Pubelo/Povo), auf die sich die BT zentral bezieht, ist ein in Lateinamerika traditionell vorhandenes Element, das mit der marxistischen Vorstellung vom Proletariat überhaupt nicht zusammenhängt;
— ebensowenig entspricht die Verbindung von Aktion und Kontemplation bei den christlichen Basisgemeinden den marxistischen Vorstellungen von Klassenkampf. Indem der Vatikan diese spezifisch lateinamerikanischen Ansätze mit dem Anderen seiner selber, der internen Opposition im Europäismus, identifiziert, versucht er die lateinamerikanischen BT genauso auszugrenzen wie diese. Der Vatikan tut dabei so, als ob er nicht wüßte, daß die außereuropäischen Mitglieder der katholischen Kirche schon längst die Mehrheit bilden. Deren wirkliche Ausgrenzung würde daher, die Weiterexistenz der Kirche aufs Spiel setzen.

Michael Vester
Die Entstehung des Proletariats als Lernprozeß

Die Entstehung antikapitalistischer Theorie und Praxis in England (1792-1848)
MÖ 1, Materialis, 454 S., Pb, ca. 66,80 DM, Dezember 88 (4.A.), ISBN 3-88535-121-8

Mit diesem Buch legt der Verlag den Reprint eines Werkes vor, das zuerst 1970 bei der Europäischen Verlagsanstalt erschienen, in 9.000 Exemplaren verkauft wurde und seit 1982 vergriffen ist. Sein Erfolg beruhte auf einer doppelten Wirkungsgeschichte, einer politischen und einer wissenschaftlichen. Es verdankte sich einer aktuellen Fragestellung der Studentenbewegung. Angesichts des Niedergangs der klassischen Arbeiterbewegung wurde interessant zu erfahren, wie und unter welchen Bedingungen einmal die Arbeiterbewegung vor Marx und ihre Theorien entstanden und geschichtlich wirksam geworden waren. Entgegen einflußreichen Dogmen arbeitete Michael Vester heraus, daß eine Arbeiterbewegung weder durch kapitalistische Strukturen noch durch rein subjektiven Protest hervorgebracht wurde. Er folgte dem Ansatz eines 'kulturellen Materialismus' von E.P.Thompson, der von der Kultur und den Erfahrungen der Unterklassen während der industriellen Revolution ausgeht.
Daraus ergaben sich folgende, teilweise neue Einschätzungen:
— Das Proletariat war nicht ein Produkt des Fabriksystems, das vorher isolierte Individuen zusammenbrachte und zur gemeinsamen Gegenwehr provozierte. Es entstand vielmehr aus den früheren englischen Unterklassen, ihrer Kultur und Widerstandstradition und war eher heterogen als homogen.
— Entsprechend ist die sog. Verelendungstheorie des Vulgärmarxismus unrichtig. Ein einheitliches Absinken der materiellen Lebensstandards ist nicht belegbar, wohl aber der Umstand, daß die Vertreibung der Landbevölkerung durch die agrarische Revolution und die Verhaltenszumutungen der industriekapitalistischen Gesellschaft den „whole way of life" der Menschen änderten. Aus den kulturellen Werten dieser bedrohten Lebensweise enstand die Gegenwehr schon zur Zeit der Französischen Revolution.
— Falsch ist insofern auch die These von Marxisten und Nichtmarxisten, vor der chartistischen Wahlrechtsbewegung (1836-48) hätte es nur einen „utopischen Sozialismus", gestiftet von weisen Philanthropen gegeben.
— Auch ist die Annahme einer „natürlichen" Neigung der Unterklassen zu irrationalen Gewaltaktionen unhaltbar. Entsprechend der Kultur der Arbeiter-Community dokumentieren selbst die gelegentlichen Maschinenzerstörungen keine irrationale Technikfeindschaft, sondern die Opposition gegen die sozialen Folgen des Industriekapitalismus.
— Außer der Gegenwehr leistete die Bewegung aktive Vergesellschaftungsarbeit. Sie entwickelte solidarische Gemeinde-, Organisations-, Presse- und Öffentlichkeitsstrukturen. Diese „Klassenkultur" wiederum war Bedingung der Verarbeitung von Erfahrungen in zyklischen Prozessen des Lernens und der Theoriebildung (in denen auch ein naiver Antiindustrialismus überwunden wurde). Verhindern ließen sich aber gleichwohl nicht, nach traumatischen Niederlagen, resignative Niedergänge der Bewegung von säkularer Dauer.
Gegründet ist das Buch auf eine umfassende Aufarbeitung der wissenschaftlichen Forschungen, die auch heute nicht überholt ist. Wie das Buch bei den Linken neue Diskussionen zur Klassentheorie ausgelöst hat, so gehörte es auch zu den ersten Anstößen, die unsere Geschichtswissenschaft erhielt, sich Ansätzen wie denen von Thompsons und einer „Geschichtsschreibung von unten" zuzuwenden. Besonders wegen seiner Neuinterpretationen und seiner kritisch-sozialwissenschaftlichen Herangehensweise ist das Buch zuletzt von führenden Fachhistorikern wie Kocka, Groh, Höppner und Kuczynski gewürdigt worden. Inzwischen sind unter Anleitung des Autors eine Reihe von weiterführenden Forschungs- und Doktorarbeiten entstanden, die teilweise in diesem Verlag erschienen sind.
Der Band wird von einem neuen Vorwort eröffnet, der in Bezug auf „Proletariat als Lernprozeß" (PaL) die in den Jahren zusammengekommene Kritik anderer Autoren verarbeitet und eine gewisse selbstkritische Revision einiger Positionen des wissenschaftlichen Ansatzes liefert. Diese Weiterentwicklung von PaL wird sodann auf die rezente „Geschichtsschreibung von unten" bezogen.

Martin Rector, Michael Vester u.a.
Arbeiterbewegung und Kulturelle Identität

Ein interdisziplinäres Kolloquium
EE 4, Materialis, 192 S., Pb, 28,00 DM, ISBN 3-88535-079-3

Der Band versammelt, z.T. in leicht überarbeiteter Form, neun Vorträge, die von Dozenten der Universität Hannover (Historikern, Soziologen, Politologen, Psychologen, Linguisten, Germanisten und Romanisten) sowie einem Veteranen der französischen Arbeiterliteratur auf einem interdisziplinären Colloquium „Arbeiterkultur" gehalten wurden. Wie das Colloquium strebt auch die hier vorgelegte Publikation nicht an, den zumal in den linken Kulturwissenschaften nach 1968 zunehmend problematisch gewordenen Begriff der „Arbeiterkultur" gleichsam enzyklopädisch zu vermessen oder gar neu zu definieren. Vielmehr werden hier bewußt relativ unabhängig voneinander entstandene Arbeiten zusammengestellt, um die aktuellen Annäherungen an das Problem in der Verschiedenheit der einzelnen Disziplinen erkennbar zu lassen und die Fruchtbarkeit, ja Notwendigkeit ihres Austauschs zu dokumentieren. So bringt dieses Verfahren ein induktives Experiment an den Tag, daß mehr oder weniger alle Beiträge einem wissenschaftlichen und politischen Interesse folgen, das in ihnen selbst kaum explizit gemacht wird, aber zu neuer Analyse herausfordert.

Denn wie disparat die einzelnen Beiträge auch sind in der Methode, im thematisierten Aspekt von Kultur, in der zeitlichen und räumlichen Situierung des Gegenstandes — von der Quellenanalyse bis zum persönlichen Erfahrungsbericht, von der Klassikerverehrung in der deutschen Vorkriegs-Sozialdemokratie bis zu den Verkehrsformen in der portugiesischen Agrar-Revolution von 1975, von den Anfängen der französischen Arbeiterliteratur von 1848 über die Kulturismus- Debatten der italienischen Sozialisten um 1900 bis zu den durch die gegenwärtige Massenarbeitslosigkeit provozierten Versuche einer Neubestimmung und Neubewertung von Arbeit — in der Zusammenschau ergibt sich die latente Gemeinsamkeit aller Überlegungen: letztlich versuchen alle Autoren dem Blick auf eine historische Formation von traditionaler Arbeiterbewegung, die ihrem Ende zugeht, Perspektiven abzugewinnen für die Entfaltung eines neuen emanzipatorischen Kulturbegriffs, der die produktiven Impulse dieser Formation tradiert, ohne ihre Aporien zu verschleiern.

Die Autoren des Bandes sind: Martin Rector, Michael Vester, Adelheid von Saldern, Eric Stüdemann, Ali Wacker, Florian Vaßen, Peter Eisenberg und Maurice Lime.

Wolfgang Abendroth, Theo Bergmann u.a.
Gegen den Strom — KPD-Opposition

Ein Kolloquium zur Politik der KPO (1928-1945)
D 10, Materialis, 126 S. A 5, 22,80 DM, ISBN 3-88535-084-X

Dieses Buch gibt die Beiträge eines Kolloquiums wieder, das von ehemaligen KPO-Mitgliedern (W.Abendroth, T.Bergmann, Erwin Gräff, Hans Richter u.v.a.) und jüngeren Sozialwissenschaftlern, die über die KPO forschen, (Buckmiller, Callessen, Kästner, Perels u.a.) bestritten wurde.

Das Buch ist von aktueller Relevanz, weil es im Lichte der heutigen Fragen die Möglichkeiten und Bedingungen des inneren, organisierten Widerstands und den Zusammenhang mit der unmittelbaren, von der faschistischen Invasion heimgesuchten Emigration konkret behandelt.

Theo Bergmann betont mit über 70 Jahren noch erfrischend offen, daß er „erst am Anfang seiner Überlegungen" zur „historischen Einordnung und Beurteilung der KPO-Opposition" stehe und daß er „am subjektivsten in dieser Sache" sei. Auch macht er darauf aufmerksam, daß „wir alle . . . auch von den Lehrern beeindruckt waren, die wir gehabt haben" (Thalheimer, Brandler, Walcher u.a.). Seine Analyse der KPO faßt er dann in dem Satz zusammen: „Politisch-theoretisch war die KPO stark genug, um den Weg zur Niederlage im voraus zu analysieren, aber sie war organisatorisch zu schwach, um die Niederlage zu verhindern." Auf der anderen Seite kommt er dann in seinem Vergleich der KPO mit der SPD und den Gewerkschaften und der KPD zu dem allgemeinen Schluß: „Wenn wir uns aber die Geschichte ansehen, so müssen wir leider feststellen, daß die großen Organisationen mit ihrem großen Apparat mit der Begeisterung und Disziplin der deutschen Arbeiter Schindluder getrieben haben und daß sie nicht einmal das Wenige erreicht haben, was die Oppositionellen erreicht haben. Diese nämlich haben mit ihrer Kritik und Analyse dazu beigetragen, daß manche Leute begriffen haben, was auf dem Spiele steht, was Sache ist." Theo Bergmann beantwortet also rückblickend für die „alten Leute" der KPO die aktuelle Frage ganz eindeutig: die aktiven Einzelnen und die Oppositionsgruppen sind die Träger des primären Widerstandes gegen eine vorherrschende Entwicklungstendenz, die uns heute von neuem einzuholen droht, wenn wir unseren Widerstand nicht noch begründeter, überzeugender, flexibler und vielfältiger fortführen.

Bestellungen über den Buchhandel
Materialis Verlag, Rendeler Str. 9-11,
D-6000 Frankfurt 60

Leo Kofler
Die Vergeistigung
der Herrschaft
Band 1

Der Staat als Ensemble des Verhältnisses von Intelligenz, Bürokratie und Elite
MP 34, Materialis, 128 S., 22,80 DM.

Der Staat ist nichts als eine Funktion des Gesellschaftlichen. Er bringt dies aber in einer Besonderung zum Ausdruck, die wiederum nicht mit seinem bloßen Apparatsein identisch ist. Vielmehr erscheint das gesellschaftliche Bewußtsein gemeinhin als ein vom staatlichen Zweck beeinflußtes Bewußtsein.

Der Staat wird aber vornehmlich von jenen Kräften gestaltet und reproduziert, die die gesellschaftliche Totalität bewußt reflektieren und das spontan-passive Verhalten der Individuen und Klassen gegenüber der ,,Ordnung" zu überwinden suchen. Dies sind die herrschende Elite, die ihr verbundene bürgerliche Intelligenz und die mit Zwangsregelungen beauftragte Bürokratie. Sie stellen zusammengenommen die konkrete Gestalt des Staatsbewußtseins her.

Die *herrschende Elite* wird von den sozial Mächtigen und tatsächlich Leitenden gebildet, die weitgehend im Hintergrund bleiben und den Akteuren die Richtlinien geben. Ihre Schuld sieht Kofler subjektiv sowohl in ihrer Widerstandslosigkeit den entfremdet-unmenschlichen Verhältnissen gegenüber begründet als auch darin, daß sie ihre Verfügung über das seelisch-geistige Eigentum als eine bloße Funktion ihres Eigentums an Macht und Besitz auffassen. Objektiv kann sich die herrschende Elite den Einflüssen des apparatisierten Daseins nicht entziehen. Um sich aber in der Illusion der Schuldlosigkeit an den Verhältnissen und in der Illusion der freien Entscheidung und Verfügung wiegen zu können, zieht sich die herrschende Elite von der unmittelbaren Machtausübung weitgehend zurück und widmet ihr Leben dem Genuß als Selbstzweck. So wie der einzelne Elitenangehörige damit in sich die Identität von Denken und Sein aufhebt, so verbaut er sich dadurch sowohl den Weg zur Erkenntnis des Gesamtprozesses als auch zu seiner eigenen Subjekt-Konstitution.

Kofler beschreibt im Verlauf der Untersuchung detailliert, wie sich das Herrschaftsinteresse in je ganz eigenen Weisen im Bewußtsein der bürgerlichen Intelligenz und der Bürokratie durchsetzt. Im Resultat greifen die drei spezifischen Bewußtseinsformen von herrschender Elite, bürgerlicher Intelligenz und Bürokratie arbeitsteilig ineinander und bringen eine Gesamttendenz hervor, die sich als Vergeistigung der Herrschaft fassen läßt.

Die herrschende Elite gebraucht aber die Intelligenz nicht nur als ihr Werkzeug, sondern auch als ihr Objekt. Sie will auch an der geistigen Freiheit der Intelligenz teilhaben. Sie verhält sich dabei sowohl konsumptiv als auch in bestimmender Weise, indem sie dieser ihre Zwecke imponiert. Die Intelligenz hingegen muß, um den Kontakt mit der Elite aufrechterhalten zu können — ein Kontakt, der ihr zugleich eine Existenz schafft —, sich den Interessen der herrschenden Elite unterordnen und sich letztlich ihrer eigenen geistigen Freiheit entschlagen.

Wesentliches Ergebnis dieses Buches ist nicht, daß die Vergeistigung der Herrschaft sich in einem höchst arbeitsteiligen und rationalisierten Betrieb der Herrschaftsausübung sedimentiert hat — dies wird gleichsam als bekannt vorausgesetzt —, sondern daß dieser Betrieb in einer fatalen Weise auf das Bewußtsein der Herrschenden und des Herrschaftspersonals durchgeschlagen hat.

Die Elite, die Intelligenz und Bürokratie müssen sich ein hoch kompliziertes, illusionäres Bewußtsein schaffen, um sich vor der Erkenntnis der eigenen Bestimmtheit durch das Herrschaftsinteresse schützen zu können. Indem z.B. die Intelligenz die Illusion nährt, daß ihre Trennung von der Praxis eine praktische Verwertung ihrer Resultate im Sinne der Herrschaft verunmögliche, kann sie sich vormachen, daß sie ihre geistige Freiheit behalten hat. Dahinter steht in der Denken eine Konstruktion, die den anderen Menschen als indifferent gegenüber Herrschaft und Gewalt auffaßt.

So wie sich mit der Ausbreitung der Vergeistigung der Herrschaft aber auch das Herrschaftspersonal enorm ausweitet, so entsteht aber auch eine enorme Tingierung des Bewußtseins großer sozialer Gruppen durch das Herrschaftsinteresse.

Dadurch, daß heute Herrschaft in der Ersten Welt sich nicht mehr primär als unmittelbare Gewaltanwendung vollzieht, sondern primär mediatisiert übers eigene Bewußtsein geschieht, entsteht die Gefahr, daß das Herrschaftsinteresse das Bewußtsein der Meisten in der Ersten Welt in Besitz nimmt.
(Lothar Wolfstetter)

Materialis Verlag · Rendeler Str. 9-11 · D-6000 Frankfurt 60
Tel.: (069) 45 08 82

Furio Cerutti, Detlev Claussen, Hans-Jürgen Krahl, Oskar Negt, Alfred Schmidt
Geschichte und Klassenbewußtsein heute (1)
Eine Diskussion von 1969
MP 7, Materialis, 56 S., DIN A 5 10,80 DM

Diese Diskussion stand im Zeichen der Studentenbewegung, sich die Organisationsfrage von neuem zu stellen. Die Diskussion sollte die Lukács'schen Positionen von „Geschichte und Klassenbewußtsein" vergegenwärtigen und historisch würdigen, um ein aktuell angemessenes Verständnis des Werks möglich zu machen.

Vor allem in zwei Punkten gelangen die Diskutanden zu neuen Resultaten:
- Sie nehmen eine umfassende, kategorial bestimmte Neueinschätzung von Lukács' Buch vor. Diese reicht von dem konstatierten Impuls, Geschichte als unmittelbare Aufgabe zu begreifen, über die Erkenntnis der Zwieschlächtigkeit der Lukácsschen Emanzipationskategorien, die sich aus der Rekonstruktion von Marxismus und Philosophie ergeben, und der bemerkten Fetischisierung der marxistischen Methode bis hin zu der Feststellung, daß Lukács keinen materialistischen Empiriebegriff hat.
- Letzteres ist für die Diskutanden Krahl und Negt der Ausgangspunkt, ihre eigenen Begriffe von materialistischer Empirie im Dialog allererst zu entwickeln. Die Negtsche Vorstellung ist dann später in das Arbeitsfeldkonzept des Sozialistischen Büros eingegangen, während der Krahlsche Ansatz unabgegolten blieb.

So wie die politische Aktualisierung von „Geschichte und Klassenbewußtsein" für die Studentenbewegung zentral war, so hat auch diese Diskussion wieder direkt wenigstens auf die Protagonisten der Rezeption, die an dieser Diskussion nicht teilgenommen haben, zurückgewirkt. Rudi Dutschke schrieb in seinem Buch „Versuch, Lenin auf die Füße zu stellen": „Claussen weist mit Recht darauf hin, daß ‚die Diskussionen auf den Kongressen der Dritten Internationale das Scheitern dieser Bewegung in gewisser Weise subjektivistisch auf Organisationsfragen reduziert haben.' (S. 209)" Und an anderer Stelle: „Ich bin mit Furio Cerutti nicht einverstanden, daß Lukács eine vorweggenommene ‚Phänomenologie des Stalinschen Parteitypus geliefert' habe. (S. 304)" Peter Brückner schrieb in seiner „Kritik der Linken": „Das Problem der konzeptuellen Kontrolle kann ich nicht aufgreifen, kann höchstens daran erinnern, daß wir in der Lukács-Diskussion dem gegenwärtigen Stand der öffentlichen Äußerungen schon einmal voraus waren." (S. 21)

Hans-Jürgen Krahl
Erfahrungen des Bewußtseins

Kommentare zu Hegels Einleitung der Phänomenologie des Geistes und Exkurse zur materialistischen Erkenntnistheorie MP 14, Materialis, 148 S. DIN A 5, DM 22,80.

„Hans Jürgen Krahl hat 1986 in längeren Lehrgesprächen Motive und Argumentationsfiguren der Philosophie Hegels und ihre Bedeutung für die Herausbildung der Marxschen Theorie erläutert. Sie wurden damals aufgezeichnet und nun unter dem Titel: „Erfahrung des Bewußtseins" veröffentlicht. H. Kocyba und C. G. Hegemann erläutern in einem Nachwort Schwierigkeiten und Gesichtspunkte der sorgfältigen Edition, stellen aber auch die theoretische wie zeitgeschichtliche Bedeutung dieser Texte heraus, deren interpretative wie hochspekulative Erwägungen nicht bloß der „Aufarbeitung" idealistischer Dialektik dienen, sondern diese selbst zu Wort kommen läßt. Der Hegelsche Text bietet für Krahl die Folie, auf deren Hintergrund sich (nicht nur damals) aktuelle Fragen der politischen Konstitution sozialer Bewegungen mit historischer Präzision und analytischer Phantasie klären lassen. Krahls Text bietet stichhaltigen Anlaß zur fälligen Revision des Vorurteils über das Verhältnis von Theorie und Praxis, von Frankfurter Schule und Studentenbewegung. Über diese zeit- und theoriegeschichtliche Bedeutung hinaus aber ist der Text hervorragend geeignet zur Einführung ins Hegelsche Denken." (Klaus Binder in Frankfurter Allgemeine Zeitung).

Materialis Verlag · Rendeler Str. 9-11 · D-6000 Frankfurt 60
Tel.: (069) 45 08 82

Pressestimmen, Rezensionen und Zitationen zu:
Michel Foucault, Freiheit und Selbstsorge

„Die sorgfältige und ausführliche Nachzeichnung der antiken Stilmittel der Existenz hatte den irrigen Eindruck entstehen lassen, hiermit sei im Denken Foucaults eine Wende vollzogen, die zu einer Reinthronisierung des Subjekts führe. Unterstützt durch mißverständliche Interviewäußerungen wurde auch der Versuch einer posthumen Wiedereingemeindung in die Subjektphilosophie unternommen."
Jutta Georg, in: **Pflasterstrand** Nr. 233, 5.-18.4.86

„Sehr geehrter Herr Becker,
nach der Lektüre des Buches „Freiheit und Selbstsorge" möchte ich Ihnen meine Anerkennung für die Herausgabe aussprechen. Meines Erachtens kann es viel zum genaueren Verständnis Foucaults beitragen."
Brief von **Walter Seitter** vom 20.4.1986

„Michel Foucault hat ja . . . eine Ethik des souci de soi entwickelt, also eine Ethik der Selbstsorge. Er meint: das ist die antike . . . Art, Ethik zu sein, nämlich daß man das Problem in der jeweils individuellen Realisierung des guten Lebens oder in der Verwirklichung des authentischen Lebens im Sinne eines schönen Lebensstils sieht. Nun ist das gewiß ein Problem, das m.E. auch heute besteht . . . Aber auf der anderen Seite würde ich meinen, es wäre eine Katastrophe . . ., wenn man dies . . . heute realisieren wollte ohne Rücksicht auf die universalen Prinzipien der Moralität, die zuerst durch Kant entwickelt worden sind. Foucault sagt genau das Gegenteil. Foucault sagt, es wäre eine Katastrophe, wenn man heute . . . universale Moralprinzipien geltend machen wollte. Ich kann das gar nicht verstehen."
Karl-Otto Apel, Rekonstruktion der Vernunft durch Transformation der Transzendentalphilosophie, in: **Concordia**, 10, 1986

„Die ‚Bewegung des Eros', von der die Foucault spricht und die eine Bewegung der Askese (im doppelten Sinne des Wortes) ist, zielt hin auf die Wahrheit und verschafft sich Zugang zu ihr durch eine ‚Praxis der Spiritualität'. (Foucault, Freiheit und Selbstsorge, S. 34) Das Subjekt, dem der Eros zugehört, muß sich nun fähig erweisen, seinen Eros zu transformieren in eine Bewegung hin zur wahren Schönheit."
Wilhelm Schmid, Die Geburt der Philosophie im Garten der Lüste: Michel Foucaults Archäologie des platonischen Eros, erscheint 1987 bei Athenäum, Frankfurt, S. 86 im Ms.)

„Philosophie wollte er nicht mehr mit der Frage betreiben, was wahr oder falsch, sondern mit der Frage: ‚Was macht es, daß es Wahres gibt?' (Foucault, Freiheit und Selbstsorge, S. 34) Keineswegs läuft dies darauf hinaus, die Beziehung zur Wahrheit zu verwerfen, sondern sie anders zu verstehen und zu nutzen." (A.a.O., S. 125)

„Die Anzeichen einer schweren Erkrankung waren unübersehbar, und Foucault ahnte wohl seinen Tod, davon zeugen jedenfalls einige Texte und Gespräche, die zugänglich sind in den Sammelbänden „Von der Freundschaft als Lebensweise" und „Freiheit und Selbstsorge":
Wilhelm Schmid, Foucault der Fuchs: aus dem Leben eines Philosophen, in: **Süddeutsche Zeitung**, Feuilleton-Beilage, München, 11./12.10.86

Peter Brückner
Freiheit, Gleichheit, Sicherheit
Von den Widersprüchen des Wohlstands
164 S. A 5, jetzt 7,95 DM bis 30.6.89 (Sonderangebot)

»In der Form der explizit gemachten Herstellung der Verbindung der Programmatik der Französischen Revolution mit der Analyse der heutigen Realität gelingt es P.B. sehr eindrücklich, einen Maßstab zu gewinnen, um die Gesellschaft der Bundesrepublik nicht nur als Wohlstandsgesellschaft zu beschreiben, sondern diese Charakterisierung zugleich als verkehrte Einlösung des Programmatik der Französischen Revolution zu begreifen. Dies wiederum bildet den Rahmen, den P.B. mit der ins einzelne gehenden Kritik der Wohlstandsgesellschaft füllt. ...
Mit der Ein- und Ausübung der Verkehrung wird diese dem Subjekt immer weniger bewußt. Dies wird von P.B. an der Korrumpierung der programmatischen Werte gezeigt, z.B. der Gleichheit durch Sicherheit, der Freiheit durch Konsumfreiheit, des Friedens durch die Friedhofsruhe. Für das Konsumverhalten stößt P.B. zur Erkenntnis eines Syndroms vor: dem exogen (Werbung, Medien, Erziehung, Alltag im Betrieb) induzierten und vom Subjekt endogen bestätigten und ‘frei' nachvollzogenen ‘Zwang zum repetitiven Konsum'.« (L.W.)
»Die politische Psychologie Peter Brückners hat schon vor Foucault den Zusammenhang von Psyche und Herrschaft thematisiert. Das vorliegende Buch, das vom Selbstverständnis der Französischen Revolution entlang bewegt, um die Beziehung zu den Erscheinungsformen des gegenwärtigen Status quo zu analysieren, kann so als Vorarbeit zu Foucaults letzten Werken gelten.« (W. Neumann)

Qualmanach 3
Zeitschrift zur Ermunterung praktisch-kritischer Bücherleser
vormals Materialis Almanach
Anders denken: eine philosophische Übung
mit Beiträgen von Michel Foucault, Roger Garaudy, Peter Brückner, Hans-Jürgen Krahl, Leo Kofler, Stefan Dornuf, Stefan Immerfall, Lothar Wolfstetter, mit Rezensionen und dem Gesamtverzeichnis des Materialis Verlags und der Edition Nicole
ca. 40 S. A 5, geheftet, 3,00 DM, Mai 89
(Direkte Zusendung an Einzelbesteller gegen Voreinsendung von 4,40 DM in Briefmarken oder als Scheck)

Anders Denken

Philosophie bei Materialis

"Es gibt im Leben Augenblicke,
da die Frage, ob man anders denken kann,
als man denkt,
und anders wahrnehmen kann,
als man sieht,
zum Weiterschauen und Weiterdenken
unentbehrlich ist."

Michel Foucault

Michel Foucault
Freiheit und Selbstsorge
Interview 1984 und Vorlesung 1982 eingeleitet von Helmut Becker und Lothar Wolfstetter
84 S. A 5, 17,80 DM   ISBN 3-88535-102-1

»Der Kreis der Argumentation Foucaults schließt sich nun jetzt erstmals. Und angesichts seines Todes bekommt seine neue Theorie der Subjektivität so etwas wie den Charakter eines Vermächtnisses.

Foucault rekonstruiert aktualisierend die antike Ethik — Plato / Sokrates, die Stoa, den Neuplatonismus — unter dem von ihm zur zentralen Kategorie erhobenen Begriff der Selbstsorge (Epimeleia heautou, cura sui, Souci de soi). Er wendet sich damit gegen die primär erkenntnistheoretische Auffassung (Descartes usf.) der Philosophie, wie sie immer noch vorherrscht, und wertet stattdessen wieder Philosophie als Praxis des Lebens und als Praxis der Freiheit auf. Zugleich wendet er sich gegen die christlich-kirchliche Konzeption des Selbstverzichts, die nach seiner Ansicht zum okzidentalen Primat der Objektivität entscheidend beigetragen hat.

Die Ethik der Selbstsorge ist für Foucault aber auch der selbst praktizierte Modus und der Maßstab, um einen Paradigmenwechsel vorzunehmen: nicht mehr die objektive Logik der Gesellschaft steht im Mittelpunkt, sondern die Logik des Subjekts und seiner Beziehungen. Objektive und subjektive Logik werden von ihm in zwei getrennte Betrachtungsweisen geschieden und nicht mehr unter dem Primat des Objekts ineinsgesetzt, wie etwa im Marxismus.

Die einzelnen Individuen, die von den Individualisierungsstrategien der neuzeitlich-okzidentalen, institutionellen Diskurse und Dispositive als Masenphänomen mit hervorgebracht wurden, können sich nun aktual den Ort verschaffen und die Zeit nehmen, sich als Subjekt zu konstituieren, indem sie die Maximen des Sokrates aufnehmen: »Kümmere Dich um Dich selbst!«, »Erkenne Dich selbst!« und »Kümmere dich um Dich selbst vermittels der Sorge um die Wahrheit!« Sie können diese Maximen in Lebenspraxis umsetzen.

Die von Foucault durch verschiedene Transformationen hindurch vorangetriebene Aktualisierung der platonisch-stoischen Selbstpraxis gibt so eine reflektierte Form ab, die eine Freiheitspraxis des Subjekts begründet. Diese ist in sich selbst politisch, indem Frei-Sein bedeutet, kein Sklave zu sein — weder Sklave von anderen, noch von sich selbst und seinem Begehren. Die richtige Bemeisterung seiner selbst ist dabei die Grundlage, sich richtig um die anderen zu kümmern. Die Beziehungen und das richtige Verhalten in ihnen rückt so für Foucault in den Mittelpunkt, während die Frage der richtigen gesellschaftlichen Verhältnisse zurücktritt.« (L.W.)

Pressestimmen, Rezensionen und Zitationen zu:
Michel Foucault, Freiheit und Selbstsorge

„Wieviel Aufmerksamkeit Foucault gerade den traditionell ‚subjektiv' genannten Beziehungen zuwandte, das macht eine kleine Veröffentlichung deutlich. Es handelt sich um ein Interview mit Michel Foucault vom 20. Januar 1984 und um Auszüge aus einem Vorlesungsmitschnitt aus dem Jahre 1982. Die Vorlesung hieß Hermeneutik des Subjekts."
Arno Widmann, in: **taz**, 13.2.86

„In den letzten Jahren setzte Foucault bereits zu einer Neuexplikation seiner Machtkonzeption an. . . . aus Interviews und veröffentlichten Vorlesungsauszügen läßt sich immerhin eine gemeinsame Stoßrichtung dieser Arbeit erkennen. (Vgl. insbes. . . . sowie das Interview mit Helmut Becker u.a., „Freiheit und Selbstsorge", Materialis Verlag Frankfurt 1985)."
Hermann Kocyba, Hermeneutik des Begehrens, in: **taz**, 15.4.86

Materialis Verlag · Rendeler Str. 9-11 · D-6000 Frankfurt 60
Tel.: (069) 45 08 82

vollen menschlichen Lebens abgeben könnte, was ihn veranlaßte, zu ihm überzutreten, nachdem er aus der kommunistischen Partei wegen seiner Kritik unter anderem an der Okkupation der CSSR ausgeschlossen worden war. Mit ihm vertritt Garaudy einen Dialog zwischen Orient und Okzident, der n.s.Ans. auf die Entwicklung des letzteren befruchtend wirken könnte. Dafür ist es nach ihm aber auch notwendig, die Praxis der Regierungen dieser zu kritisieren und zu bekämpfen.

Roger Garaudy
Gott ist tot

Das Problem, die Methode und das System Hegels
MP 25, Materialis, 480 S. Pb., 49,80 DM, ISBN 3-88535-097-1

„Die Negation des Absoluten selbst als das Absolute anzugeben, das ist der Taschenspielertrick des zur Totalität entfalteten transzendentalen Idealismus" (Krahl). Gott ist tot, indem er sich selbst aufhebt, der Tod Jesu ist der Tod Gottes, durch den der Mensch leben kann. Das ist die These von Roger Garaudy in diesem neu aufgelegten Buch. Alfred Schmidt hat behauptet, diese Arbeit sei die bedeutendste materialistische Abhandlung über Hegel. Tatsächlich behandelt Garaudy Hegels System nicht nur umfassend. Er beleuchtet die politische, historische, ökonomisch-gesellschaftliche, theologische und philosophiegeschichtliche Seite des Werks des größten deutschen Philosophen. So ist Hegels Denken ein Reflektieren der Arbeit wie der Liebe als der grundlegenden Prinzipien der Welt des Menschen. In diesem Denken wird nach Garaudy die menschliche Bedeutung der gesamten Wirklichkeit entziffert, die Seele in ihr erfaßt, die als Weltgeist auftritt. Das Ziel des Lebens ist die Rückkehr ins Ganze: ins Subjekt. Aus ihm heraus läßt sich die Totalität entwickeln, deren Teile sich auf das Ganze beziehen müssen, damit ihnen Wahrheit zukommen kann.

Walter Neumann
Der unbewußte Hegel

Zum Verhältnis der Wissenschaft der Logik zu Marx' Kritik der politischen Ökonomie
MP 19, Materialis, 142 S. Pb., 21,80 DM, ISBN 3-88535-034-3

Die Hegelsche Rückkehr ins Subjekt hat die Objektivität der bürgerlichen Gesellschaft zum harten Gegenstand. Diesen analysierte Marx in Begriffen der politischen Ökonomie, die sich heute zu herrschenden verselbständigt haben. Verkehrt sich damit das Verhältnis von Wesen und Erscheinung, muß Marx auf dem Boden Hegels revoziert werden. Die Hegelsche „Logik", die Idealität des Wertgesetzes, muß erneut auf die politische Ökonomie bezogen werden. Dafür leistet der Autor hier eine wesentliche und die Abstraktionen konkretisierende Vorarbeit.

Walter Neumann
Negative Totalität

Erfahrungen an Hegel, Marx und Freud
MP 22, Materialis, 158 S. Pb., 21,80 DM, ISBN 3-88535-072-6

Das Ganze der bürgerlichen Gesellschaft geht in ihrer idealistischen und materialistischen Interpretation nicht auf. Aufzuheben wäre auch noch ihre falsche Subjektivität. Diese ist Gegenstand der Freudschen Psychoanalyse. Sie hat ihre Grenze nur an dieser selbst. Deshalb analysiert der Autor Hegel und Marx und — selbstreflexiv — Freud als Denker der Totalität unter dem fundamentalpsychologischen Aspekt praktischer Aufklärung.

Walter Neumann
Zur Kritik rationalen Denkens

Interpretationen unbewußter Inhalte wesentlicher Wissenschaften
MT 7, Materialis, 136 S. Pb., 24,80 DM, ISBN 3-88535-031-9

Die Aufklärung von Kant über Hegel und Marx bis Freud ist eine Rationalisierung von Vorstellungen, Meinungen und bloßem Tun. Ihr Denken, Sprechen (Schreiben) und Handeln ist mit diesen ihren Ursprüngen behaftet. In der Praxis wird sie deshalb zur vom Positivismus kritisierten Ideologie. Der Autor versucht in dieser Arbeit, die an der Universität Hannover entstanden ist, dem ein Neues Denken und eine „Neue Theorie" entgegenzusetzen, die auch die Naturwissenschaften einschließt. Praktisches Denken, Sprechen und Handeln sollen an die Stelle der Unterdrückung durch „abstrakte Arbeit" treten.

Bestellungen über den Buchhandel. Verlagsauslieferung:
Materialis Verlag, Rendeler Str. 9-11, D-6000 Frankfurt 60

Anders schreiben

Kritische Sprache bei Edition Nicole und Materialis

»Es muß das Symbol das Symbol suchen,
es muß eine Sprache voll und ganz
eine andere Sprache sprechen;
nur so wird letzten Endes
der Buchstabe des Werkes respektiert.«
Roland Barthes

Roger Garaudy
Biographie des 20. Jahrhunderts

Ein philosophisches Testament

„Nicht das Abenteuer eines Menschen, sondern die Bahn eines Jahrhunderts wollte ich gedanklich noch einmal vorüberziehen lassen oder zumindest das im Weg eines Menschen, was als das kritische Bewußtsein eines Jahrhunderts gelten kann" (Roger Garaudy)

Band 1

Ed. Nicole, 120 S. Pb., 20,00 DM, ISBN 3-925679-06-5

Roger Garaudy reflektiert in einer „Rückkehr zu den Quellen", den Mythologien der heiligen Bücher, die abendländischen Philosophien und Wissenschaften. Er will die Suffizienz, das Selbstbewußtsein, das seit Sokrates das „Maß aller Dinge" sein soll, zugunsten der Transzendenz, der Anerkennung der Abhängigkeit des Menschen von einem Schöpfergott, und der Gemeinschaft als dem Gefühl der Verantwortung für den anderen, kritisieren. Nur in letzteren liege der Sinn des Lebens. Gegen die Illusion des Ego schreibt er eine Geschichte von unten, des Herzens der Besiegten aller Religionen (des Judentums, des Christentums, des Islam), die auf Nicht-Wissen, der Ablehnung der Erkenntnis in diskursiver Form, Nicht-Handeln und Nicht-Sein im Sinne der östlichen Philosophie asiatischer Produktionsweisen beruhen soll. „Bewußtsein ist, was dem Teil fehlt, um ganz zu sein, um einen Sinn zu haben". Nach seinen Warnungen über den drohenden planetaren Selbstmord und dem okzidentalen Wachstumsmodell (in bisherigen Büchern) reflektiert er Philosophen wie Husserl, den Vater des neuzeitlichen Rationalismus, Dostojewskis existentialistische Literatur, Heideggers Philosophie der Abwesenheit Gottes, Sartres Versuch, in einer existentialistischen Psychoanalyse Marx und Kierkegaard zu verbinden, Maos Sozialismus gegen seine positivistische und dogmatische Form, die Rolle der Vernunft in Fromms und Marcuses kritischer Theorie, Blochs Hoffnungsbegriff und christliche Zeiterfahrung, den amerikanischen Pragmatismus und Positivismus, den französischen Strukturalismus sowie seine eigenen Arbeiten, die er durch die Marxsche „Methode der historischen Initiative" bestimmt charakterisiert. Sie sollen einen Kulturdialog über die Zukunft des Menschen darstellen. Das Buch will sowohl einen End- als auch einen Wendepunkt des sich immer wieder (in Kirchen und Parteiorganisationen) verdinglichenden Rationalismus der Moderne aufzeigen und einen Neubeginn, damit eine neue Gesellschaft, provozieren.

Band 2

Ed. Nicole, 148 S. Pb., 20,00 DM, ISBN 3-925679-07-3, (Juli 1988)

Die authentischen Religionen des Judaismus, des Christentums und des Islams wie die philosophischen Systeme (z.B. von Marx) haben sich geschichtlich immer wieder in Legitimationen von Herrschaft verkehrt und diese rationalisiert. Gegen deren Vernunftbegriff, der von Herrschaft nicht zu trennen ist, setzt Roger Garaudy den Glauben als das, was ihre Grenze und ein Neuanfang sein soll. Er sei heute notwendig, um das aus der (bürgerlichen) Aufklärung sich entwickelnde unheilvolle Wachstumsdenken aufzuhalten, das Erde und Mensch auszulöschen droht. Roger Garaudy reflektiert immanent die o.g. großen Religionen und Systeme, erörtert ihren ursprünglichen Sinn und ihre notwendige Entwicklung zu einem Menschen, der mit sich identisch ist. Dabei geht es nicht um die Unterordnung unter einen Gott, sondern die Liebe zum anderen. Das aktuelle Buch von Roger Garaudy, 1985 in Frankreich erschienen und jetzt erstmals ins Deutsche übersetzt, tritt sowohl für die Rechte der Palästinenser, die Befreiungstheologie und einen kritischen Marxismus ein, der im Stalinismus seinen utopischen Gehalt verloren hat. Im Islam findet Garaudy die Lehre, die, von allen ihren historischen Verzerrungen befreit, das Grundmodell eines sinn-

Zeichnungen, um es bei diesem Gattungsbegriff einmal provisorisch zu lassen, changieren zwischen Kalligraphie, ornamentalem Gekringel, Schriftzeichen, Figurativem (das dann wieder in Metamorphosen Menschen, Pflanzen, Landschaft mischt); manchmal schauen ihre Arbeiten aus wie fernöstliche Schriftrollen, nur daß ihre Zeichen und Chiffren nicht zu übersetzen, sondern nur Wegmarken für die kleinen Fluchten der freien Assoziation sind."
(Manfred E. Schuchmann, in: Frankfurter Rundschau, 4.12.82)

Ellen Diederich
„Und eines Tages merkte ich, ich war nicht mehr ich selber, ich war ja mein Mann"

Vlg. 2000, 142 S. Tb., 2,95 DM (Sonderangebot), ISBN 3-88534-302-9

„Die Autorin beginnt ihr Buch so: 'Ich bin geboren im Jahre 1944 als Tochter einer Hausfrau und eines Arbeiters . . . Ich gehöre zur Nachkriegsgeneration . . . Warum ich dieses Buch schreibe? Ich möchte zu meinesgleichen sprechen.' ED beschreibt dann ihre Erfahrungen und ihr Erleben ab dem 15. Lebensjahr bis zum Jahr 1980. Die wesentlichen Stationen dieses Lebens werden durch die Kapitelüberschriften charakterisiert: Ostermarsch und Lehre — Als Hausfrau und Mutter in der Studentenbewegung — Abendschule, Psychoanalyse, Uni-Erfahrungen — Politische Arbeit an der Uni und im SB, Russel-Tribunal — Die Sache der Frauen, Frauenbewegung und Linke — entTäuschungen — Bei der Courage in Berlin. Am Ende des Frauenbewegungskapitels scheint noch einmal das Motiv für das Buch auf: 'Um nicht in Resignation in Bezug auf Frauenprojekte oder in Haßgefühle einzelnen Frauen gegenüber stecken zu bleiben, habe ich versucht, mich an die Ursachen der erfahrenen Widersprüche heranzutasten.' Das letzte Kapitel trägt dann den programmatischen Titel 'be a strong woman'. Hier zieht ED ein vorläufiges Fazit ihres Lebens: 'Wir sind ein Stück weit gekommen in unseren Bemühungen . . . Wir haben dabei nicht vergessen, daß die Verhältnisse noch immer ohne bewußtes Planen hinter dem Rücken der Menschen entstehen . . . Aber wir haben soviele, die angefangen haben zu schreiben, was sie sehen.' ED fängt ihr Buch ganz lebendig an mit der Schilderung ihrer Jugend. Die Schilderung der Zeit von der Studentenbewegung bis zur Frauenbewegung wirkt demgegenüber stellenweise papieren-trocken. Das Primat des Politischen wird von ihr so nachvollzogen, daß sie oft stärker Positionen als ihr eigenes Erleben beschreibt. Dennoch ein Buch, das ich auf einen Sitz gelesen habe."
(L.W.)

K. Papula u.a.
Frauentheater

Vlg. 2000, 172 S. Tb m. Fotos, 13,00 DM

„Mit welchen Illusionen gehen Freie Theatergruppen auf die Bühne! Claudia Roth von Hoffmanns Comic Theater schildert im Vorwort anhand eigener Erfahrungen als eines der Hauptprobleme freier Theatergruppen, die Unfähigkeit eines 'fortschrittlichen Publikums', spontan komische Frauenfiguren zu erfinden. Und dabei fühle sie sich zu Beginn der Veranstaltung so wohl unter all diesen Leuten. Auch ohne elitären Aufklärungsanspruch muß eine freie Gruppe sich ihres theaterstückspezifischen Mehrwissens und zugleich des Unvermögens aller Anwesenden, konkret utopisch zu denken, bewußt sein. Diesem Unvermögen entgegenzuwirken, sollte das nicht Ziel freien Theaters sein?
Im ersten Stück, einer 'Collage aus Liedern, Gedichten, Erzählungen und Szenen' umreißen die Frauen vom Staatstheater Wiesbaden die Sozialisationsstationen von Frauen in einer Männergesellschaft, nach dem Motto: 'Wir werden nicht als Mädchen geboren, wir werden dazu gemacht.' Die Brücke zwischen Gesellschaftsanalyse und Frauenalltag in der BRD kann aber nicht gebaut werden.
Die Schedderhecks aus Hannover spielen ihr Stück mit Masken und einer der Commedia dell'Arte entliehenen Kommentatorin auf der Straße, dort wo Frauen alltäglich Anmache zu erwarten haben. Sie erzählen, mit wenigen wirkungsvoll eingesetzten Requisiten auskommend, die Geschichte der Protagonistin Marie, die nach leidvollem Lernprozeß schließlich über die Machos an Tresen und Herd triumphiert. Ein tolles, mitreißendes, optimistisches Stück, in dem es die Männer hageldicht um die Ohren kriegen, mit Wort und —Tasche. Nicht erst seit der Affäre Kießling dort oben wissen wir die Klos als Stätte inoffizieller Kommunikation zu schätzen. Die Mobile Rhein Main Theater GmbH führt uns ganz unten in den Lokus der Fotofirma Heinze, Gelsenkirchen, der die Bekehrung der Arbeiterin Agnes, durch die treibende Vera Kraft, zum Widerstand der unterbezahlten Frauen der Firma für 'gleiche Arbeit gleicher Lohn' erlebt. Kein rein dokumentarisches Lustspiel, sondern eine witzige Entlarvung von Recht und Gerechtigkeit als inkongruente Konstituenten bundesdeutscher Rechtsprechung. Das Buch ist ein Leitfaden zum Theatermachen, ohne theoretisches Brimborium, einzig der Durchschlagkraft des Themas 'Frauenunterdrückung' vertrauend."
(M.E.)

Materialis Verlag· Rendeler Str. 9 - 11 · D-6000 Frankfurt 60
Tel.: (069) 45 08 82

Lilian Berna-Simons
Weibliche Identität und Sexualität

Das Bild der Weiblichkeit im 19. Jahrhundert und in Sigmund Freud
FF 1, Materialis, 240 S. Pb., 34,00 DM, ISBN 3-88535-087-4

„Freud setzte den ... in die Schulmedizin hineinwirkenden 'Erkenntnissen' über die Frau seine Thesen diametral entgegen: der (erkrankten) weiblichen Psyche gab er ihre (lebens)geschichtliche Dimension zurück (S. 123) und zerstörte damit den Mythos von der Naturgegebenheit weiblicher Gefühle; als Ursachen der weiblichen Sexual-neurosen Hysterie und Paranoia wies er den Konflikt zwischen internalisierten Verdrängungsmechanismen und in-dividuellen Triebbedürfnissen der Frau nach. Allerdings dachte er die erkannten Probleme mit ihren sozialen und sozialisationstheoretischen Implikationen nicht zu Ende. Er blieb ein 'Mann seiner Zeit' (S. 188), der im Postulat vom Penisneid letztlich die Vorstellung von der Minderwertigkeit der Frau in die Psychoanalyse hereinholte. ... Das Dilemma eines erkennenden Individuums, das mehr und Anderes entdeckt als es selbst verkraften kann, ist auch das Dilemma unserer Gesellschaft, die Andersartigkeit, Fremdheit, Krankheit ghettoisiert, diskriminiert und hospitalisiert. Wie wenig das eine vom anderen trennbar ist, führt Berna-Simons am Beispiel des Konzepts 'Frau' aus, eine schmerzhafte, weil immer noch gültige Analyse."
(Katharina Städtler, in: Qualmanach 3/1988)

Silke Schilling
Die Schlangenfrau

Über matriarchale Symbolik weiblicher Identität und ihre Aufhebung in
Mythologie, Märchen, Sage und Literatur
FF 2, Materialis, 340 S. Pb., 43,80 DM, ISBN 3-88535-082-3

„Die Verfasserin versucht eine verloren gegangene, ursprünglich weibliche Identität zu erkunden, indem sie die Geschichte der Unterdrückung der Frau durch das Patriarchat rekonstruiert, und zwar mittels einer Interpreta-tion der negativen Verwandlungen des Schlangensymbols im abendländischen literarischen Diskurs. ... Auch wendet sich Schilling gegen die psychoanalytische Deutung der Schlange als eines phallischen Symbols: die weibli-che Schlangenphobie sei viel weniger Ausdruck einer Furcht vor dem männlichen Geschlecht als einer solchen vor der unterdrückten eigenen Sexualität, Reminiszenz einer in den Anfängen des Patriarchats verlorenen Machtposi-tion."
(Andrea Pagni, in: Concordia 9/1986)

Gislinde Seybert
Die unmögliche Emanzipation der Gefühle

Literatursoziologische und psychoanalytische Untersuchungen zu George Sand
mit 5 Bildtafeln von Beate von Essen
EE 2, Materialis, 198 S. Pb., 32,00 DM, ISBN 3-88535-067-X

„George Sand leidet am Ungenügen der Realität. Mittels der 'Idealisierung versucht sie diese zu überwinden. Dies mißlingt ihr aber in ihrem Leben als auch in ihren Romanen immer wieder. Zugleich versucht sie durch die Modifizie-rung ihres persönlichen Mythos' — der Triade mit zwei Männern, dem idealen und dem praktischen Typus — ihre Problematik immer wieder neu zu bearbeiten. In ihrer eigenen Lebensgeschichte versuchte George Sand den Kampf gegen die Reduktion auf die Geschlechtlichkeit durchgängig mittels der Idealisierung von Beziehungsperso-nen zu führen, um darüber die Adäquanz zu den eigenen Ideen und Wertvorstellungen und somit zu ihrer Individua-tion als Frau herzustellen. ... Selbst wenn hier am Beispiel George Sands der Emanzipationsversuch einer Frau des vorigen Jahrhunderts erörtert wird, bleibt die geschilderte Problematik aktuell. Die Art, wie das Phänomen der Idealisierung behandelt wird, stößt unmittelbar auf eigene Schwierigkeiten bei der Identitätsfindung als Frau. Denn es wird ständig die Frage angerührt, inwieweit man selbst in den beschriebenen Mechanismen befangen ist. Nach der Lektüre dieses Buches scheint mir, eine erneute Auseinandersetzung mit dem Phänomen der Idealisie-rung notwendig zu sein."
(Suse Junge-Ibisch, in: Materialis Almanach 2, S. 39-32)

Beate von Essen
Galionsfiguren

Katalog zur Installation im Frankfurter Kunstverein
Materialis, 30 S., 21,5 x 24 cm auf Chromolux-Karton, 7,00 DM (Sonderangebot), ISBN 3-88535-069-6

„Beate von Essen zeichnet/malt/schreibt kleine und größere Blätter mit kleineren und größeren Zeichen. Ihre

Katja Dahncke
Ich war Punk

edition nicole, A5, 101 S., 14,00 DM, ISBN 3-925679-01-4

„Das Buch ist eine wilde Ansammlung von Texten zwischen Realität und Fantasie, wo Wirklichkeit und Träume verschwimmen. Punk ist das unbenommene Nebeneinander extremer Gegensätze. Brutale Gewalt und liebende Zärtlichkeit, resignative Selbstaufgabe und hoffnungsvoller Idealismus. Nur die völlige Loslösung von allen gängigen Normen und Denkmustern der populären Logik vermag zwischen diesen eklatanten Widersprüchen die faszinierende Harmonie herstellen, die den Punk umgibt. Die Schriften von Katja Dahnckes Buch bringen die Ambivalenz Wort für Wort zum Ausdruck." (Radio Dreyeckland)

Eva Maria (Hrsg.)
deFloration — entBlütung
Autobiografisches zu einem weiblichen Thema

FF 4, Materialis, 168 S., 27,00 DM, ISBN 3-88535-103-X

„Das Buch, das vorliegt, fordert die Diskussion neu heraus. Es enthält die deutlichsten, die direktesten und die ehrlichsten Aussagen zu diesem Thema, von dem wir so gerne hätten, daß es keines mehr sei. Die biographischen Erzählungen sind nicht rational, keine Erlebnisberichte wie in einer Studie, aber, und das ist der Vorteil dieses Buches, es sind auch keine mimosenhaften Dementis.",
Ingeborg Feilhauer, Entjungferung — kein Thema mehr? in: Communale Nr. 15, 15.5.1986
„So wie Liebe, Sexualität oder Eltern-Kind-Beziehung nicht ausdiskutiert, nie abgehakt werden können, so zeigen uns die ehrlichen, direkten Aussagen in diesem Buch, daß es hier um eine menschliche, d.h. besser: weibliche Grunderfahrung geht, die trotz sich ändernder moralischer Wertung immer noch eine deutliche Prägung des späteren sozialen Verhaltens bewirkt.",
Reiner Gödtel, deFloration — entBlütung, Autobiographisches zu einem weiblichen Thema, in: Gyne, Fachzeitung für praktische Frauenheilkunde, Nr. 8, 1986

Renate Förster
Liebe, Poesie, Emanzipation

Petrarca und die Dichterinnen der italienischen Renaissance
FF 3, Materialis, 168 S. A5, 27,00 DM, ISBN 3-88535-091-2

„Im 15. und 16. Jahrhundert gibt es in Italien als dem Land mit der entwickeltsten Kultur in Europa erstmals das Phänomen, daß eine Gruppe schreibender Frauen auftritt. R.F. beschäftigt sich in ihrem Buch mit diesem für die Frauenforschung wichtigen Phänomen.
Sie zeigt dabei, daß diesen Fraun das Schreiben zum Mittel wird, ihre Sehnsucht nach menschlicher Vollkommenheit auszudrücken und ihr Liebesleid zu überwinden. Dies geschieht sowohl im aktualisierenden Rekurs auf die Antike als auch in der Auseinandersetzung mit Petrarca.
Während jedoch Petrarca zwischen der Platonischen Eroskonzeption und der Augustinischen Herrschaftsideologie hin- und hergerissen ist, haben sich diese schreibenden Frauen in ihrer Liebe (vielleicht nur darin!) viel mehr den kirchlichen Herrschaftsansprüchen entzogen.
Sie haben sich weniger der die Herrschaftszustände fördernden Privilegierung des Begehrens (Foucault) gebeugt, die die Globalentwicklung hin zur Neuzeit kennzeichnet. Sie haben sich selbst als konstitutive Subjekte zu verwirklichen gesucht. Sie bildeten damit eine eigene Lokalität, ein Stück nichtglobalisierter Geschichte." (L.W.)

Marianne Lehker
Frauen im Nationalsozialismus

Wie aus Opfern Handlanger der Täter wurden
D II, Materialis, 136 S. DIN A5, 22,80 DM, ISBN 3-88535-090-4

„Warum empfanden Frauen die diskriminierende nationalsozialistische Frauenideologie und -politik als positiv? Die Antwort ist verblüffend und enttäuschend zugleich: Diese frauenfeindliche Ideologie und Politik wurde von Frauen als ein Aufbruch in eine Zeit der 'Gleichberechtigung' und 'Ehrung' mißverstanden. Doch wie war es möglich, daß aus den Opfern 'Handlanger der Täter' wurden, während sie zugleich in dem Glauben waren, ihrer 'Gleichberechtigung' ein Stück näherzukommen?
Als entscheidend erwies sich, daß die Nazis ihre Frauenbilder und Frauenpolitik auf eine spezifisch patriarchalische Tradition aufbauen konnten, die dazu geführt hatte, daß Frauen ihre eigene Unterdrückung verinnerlicht hatten und so ihre Diskriminierung gar nicht bemerkten." (M.L.)

Das andere Geschlecht

Frauenbücher bei Materialis

»Das Andere ist eine grundlegende Kategorie
des menschlichen Denkens. Keine Gemeinschaft
definiert sich jemals als das Eine, ohne sofort
das Andere sich entgegenzusetzen.
. . . Nur setzt ihm das andere Bewußtsein
einen gleichen Anspruch entgegen.«
Simone de Beauvoir

Hiltraud Schmidt-Waldherr
Emanzipation durch Professionalisierung?

Politische Strategien und Konflikte innerhalb der bürgerlichen Frauenbewegung während der Weimarer Republik
und die Reaktion des bürgerlichen Antifeminismus und des Nationalsozialismus
FF 6, Materialis, XII/272 S. Pb., 39,80 DM, ISBN 3-88535-109-9

„Mit der Rekonstruktion der politisch-programmatischen Zielvorstellungen der liberal-bürgerlichen Frauenbewegung in der Weimarer Republik, ihren Auseinandersetzungen mit den rechten Frauen und dem Nationalsozialismus
beabsichtigt Schmidt-Waldherr, die Protofaschismusthese vorliegender Arbeiten (Evans, Wittrock) und die politische Gleichgültigkeitsthese (Stoehr) in „aufklärerischer Absicht" zu widerlegen: durch Neubewertung des historischen Materials einen Beitrag zur Aneignung kollektiver Frauen (und Gesellschafts)geschichte zu leisten. . . . Die
Unterschiede zwischen dem BDF und faschistischer Frauenideologie und —politik werden von Schmidt-Waldherr
trennscharf und materialreich herausgearbeitet." (Benno Hafeneger, in: Ilona Ortner (Hg.), Frauen — Soziologie
der Geschlechter, Soziologische Revue, Sonderheft 2, 1987)

Doris Niemeyer
Die intime Frau

Das Frauentagebuch — eine Überlebens- und Widerstandsform
FF 5, Materialis, 216 S. DIN A 5, 29,80 DM, ISBN 3-88535-108-0

Da die Frauen in der neuzeitlich-patriarchalen Gesellschaft weitgehend aus dem öffentlichen Bereich aus- und in
das Haus, die Kleinfamilie oder die komplementäre Berufsrolle eingeschlossen sind, ist ihnen als Medium der
Selbstverständigung und des Widerstandes beim Schreiben meist auch nur eine Privatform zugänglich: das Tagebuch. Dieses wurde und wird zunehmend für viele Frauen 'zum selbsterschaffenen Ort für Probehandeln und Konstituierung einer Identität des Subjekts.' (Niemeyer)
In den selbstreflexiven Tagebüchern findet DN die Schlüsselgattung für das Schreiben von Frauen, weil es darin explizit um den Kampf für die weibliche Identität und um den Widerstand gegen patriarchale Strukturen geht
(1. Kap.). In der „Phänomenologie des Tagebuchs" (2. Kap.) kommt DN zu dem Resultat: „Die Diaristin entwirft
ein komplexes und gleichzeitig reduziertes Bild von sich selbst; komplex, da es Vergangenes, Gegenwärtiges und
potentiell Zukünftiges miteinander verknüpft, die Bilder der anderen, Selbst- und Wunschbild von sich selbst betrachtet; reduziert, da das Schreiben in Krisenzeiten favorisiert wird, wodurch Leben und Selbst der Autorin zugunsten einer meist negativen Sichtweise verzerrt werden."
Im 3. Kapitel untermauert DN diese Interpretation dadurch, daß sie in einem glänzend geführten, empirischen
Aufweis die „Funktionen des Tagebuchschreibens" alle als unterschiedliche Aspekte der Selbstvergewisserung beschreibt und versteht. In Einzelinterpretationen von 5 Tagebüchern (Maryse Holder, Birgit Heiderich, Nina Kosterina, Ursula Egli, Katharina Buch) macht DN im letzten Kapitel das Gemeinsame dieser doch in sehr unterschiedlichen Lebenssituationen geschriebenen Tagebücher sichtbar. Dies umreißt sie als den allgemeinen Frauendiskurs.
Durch die von ihr vorgenommene Explikation gewinnt dieser Diskurs so an Aussagekraft und Farbe, daß er andere
Frauen sowohl zum Tagebuch-Schreiben motivieren kann als auch ihnen beim selbstreflexiven Umgang mit ihrem
Schreiben förderlich ist. (L.W.)

Materialis Verlag · Rendeler Str. 9-11 · D-6000 Frankfurt 60
Tel.: (069) 45 08 82

Walter Neumann
Was ist Liebe?
Der Anti-Fromm — auch ein Aufklärungsbuch
Ed. Nicole, 50 S. Pb., 6,00 DM, ISBN 3-925679-08-1

Nicht erst heute ist die Liebe eine Ware, ein Geschäft. Was für Liebe gehalten wird, sind bloße Vorstellungen, besonders auf seiten des Mannes. Aber auch Frauen sind sich ihrer Gefühle unsicher. Dieses kleine Buch gibt eine Antwort auf die Frage, was unter dem Begriff Liebe gedacht, gesagt und getan wird und versucht, einen Weg der Selbstaufklärung anzugeben, durch den Liebe, das längst Verlorengegangene und vom Schlager deshalb Beschworene, allererst zu dem werden könnte, als was sie schon gehandelt wird. Gegenüber Fromms „Kunst des Liebens" geht es dem Autor aber nicht um technische Anweisungen, wie „wirklich" zu lieben wäre, sondern um die Formen des erscheinenden Bewußtseins, an denen allererst Gewißheit in der Sache zu gewinnen wäre.

Walter Neumann
Revonnah
Liebe und Gesellschaft im Jahre 2020 — Eine utopische Erzählung
Ed. Nicole, 112 S. Pb., 16,00 DM, ISBN 3-925679-00-6

Hannover, von rückwärts gelesen Revonnah, ist nur der austauschbare Schauplatz eines Lebens nach der sozialen und ökonomischen Revolution. Mit Stefanie und Volkhard erfährt der Leser die neue Wirklichkeit im Jahre 2020 und kann sich in deren rückschauender Betrachtung der jetzigen Zeit bespiegeln und die gesellschaftlichen Zustände heute auf eine neue Weise reflektieren. Der Autor rechnet mit diesen auf rationale Weise ab, ohne sich über die zukünftige Gesellschaft Illusionen zu machen. Beides betrifft Themen wie Arbeit, Liebe, Geld, Moral, Bedürfnisse, Politik, Wissenschaft usw. im Stil der klassischen utopischen Romane von Bacon und anderen, die für das Buch, das aus den Diskussionen und der Praxis einer grün-alternativen Stadtteilgruppe in Hannover hervorgegangen ist, Pate gestanden haben. Die handelnden Personen in diesem Buch sind nicht zufällig gewählt. Die Zeichnungen hat Adrian Raasch beigetragen.

Katja Dahncke
Ich war Punk
Sensible Erzählungen aus Tagebuchaufzeichnungen
Ed. Nicole, 100 S. m. 10 Abb. Pb., 14,00 DM, ISBN 3-925679-01-4

Dieses erste Punk-Buch einer Punk-Frau selber führt den Lesenden direkt in die Szene. Es erzählt in verschiedenen Stories das Leben von Punks, ihre Ohnmacht und Zärtlichkeit, ihre Power und Unterdrückung, ihre Probleme und ihr Verhältnis zur übrigen Gesellschaft. Zudem hat die Lübecker Autorin, die heute in München lebt, malt und schreibt, Song-Texte von Punk-Gruppen aus dem Englischen übersetzt und eigenes Photomaterial beigesteuert. Eigene Gedichte zeigen die Verbundenheit der Autorin mit Punk und Gott. Ihre Überlegungen zum Punker-Leben stellen eine minutiöse Schilderung dar, die erste dieser Art auf dem deutschen Büchermarkt. In der Punk-Szene ist das Buch enthusiastisch in Punk-Zeitschriften besprochen worden. Es ist ein offenes und populäres Buch und macht mit den falschen Vorstellungen über Punks radikal Schluß, wie sie nicht nur der Kleinbürger und die Polizei haben.

Radio dreyeckland dazu: „Das Buch ist eine wilde Ansammlung von Texten zwischen Realität und Phantasie, wo Wirklichkeit und Träume verschwimmen. Punk ist das unbenommene Nebeneinander extremer Gegensätze. Brutale Gewalt und liebende Zärtlichkeit, resignative Selbstaufgabe und hoffnungsvoller Idealismus. Nur die völlige Loslösung von allen gängigen Normen und Denkmustern der populären Logik vermag zwischen diesen eklatanten Widersprüchen die faszinierende Harmonie herstellen, die den Punk umgibt. Die Schriften in Katja Dahnckes Buch bringen die Ambivalenz Wort für Wort zum Ausdruck. Szenen aus dem punkigen Alltag: wie ein friedliches, biertrinkendes Zusammensitzen in der Fußgängerzone mit blutigen Köpfen in der Arrestzelle endet, erster Punk-Gig, Liebeserklärungen, Begegnung, Selbstmordversuch. Rührende Nostalgie für Mutters Geburtstagstisch."

Anders denken
Eine philosophische Übung
Qualmanach 3
Q 3, Materialis & Ed. Nicole, ca. 100 S. geh., 3,00 DM, ISBN 3-88535-033-5

Für den Qualmanach 3 organisierten wir wichtige Beiträge der Autoren der beiden Verlage zu dem philosophischen Schwerpunktthema „Anders Denken". Wir berücksichtigten dabei in erster Linie die Stellungnahmen unserer prominenteren philosophischen Autoren, um mit diesem Heft eine größere Breitwirkung für das „Anders Denken" zu erzielen. Im Qualmanach 3 schreiben folgende Autoren: Michel Foucault, Roger Garaudy, Leo Kofler, Peter Brückner, Hans-Jürgen Krahl, Stefan Immerfall, Lothar Wolfstetter.

Hans-Jürgen Krahl
Vom Ende der abstrakten Arbeit

Die Aufhebung der sinnlosen Arbeit ist in der Transzendentalität des Kapitals angelegt und in der Verweltlichung der Philosophie begründet

MP 23, Materialis, 214 S. Pb.,32,50 DM, ISBN 3-88535-075-0

Krahl geht es mit seinem Buch um die Einsicht, wohin die Naturgesetzlichkeit des Kapitalverhältnisses die Menschheit treibt und wie sie dieses aufheben kann. Im Mittelpunkt dieses Prozesses steht für Krahl die schrankenlose Ausweitung der abstrakten Arbeit, die vom Subjekt als sinnlose Arbeit erlebt wird. Mit der Transzendentalisierung des Kapitals wird die Identität der Gesellschaft mit sich abstrakt. So wie dadurch die Konkretionen zu bloßen Momenten einer abstrakt totalisierenden Vermittlung aufgelöst werden, so kann die sich selbst behauptende Totalität einerseits sich nur noch in eine Ausdehnung ihrer verdinglichten Wirkungen retten und muß andererseits in einer zweiten ursprünglichen Akkumulation — aber diesmal in einer Akkumulation der Kapitalvernichtung (Automation) — die Vernichtung des Proletariats als Klasse (strukturelle Arbeitslosigkeit) betreiben. Damit wird aber für Krahl der Punkt erreicht, wo die Erinnerungs- und Geschichtslosigkeit verschwinden wird, wo die Ausbeutung wieder erfahren wird und die Möglichkeit der Revolution gegeben ist. Was nun die Verweltlichung der Philosophie betrifft, so konstatiert Krahl mit Lefèbvre: die „Warenproduktion sei bis in die intimsten Bedürfnisse des Menschen eingedrungen — diese wiederum werden auf dem Warenmarkt angeboten, unterliegen den Gesetzen des allgemeinen Tauschverkehrs". Es entsteht damit „eine manipulierte Empfindungswelt". „Die Manipulation betrifft vor allem die Freiheit des Menschen, die mit einer Flut von Bildern überschüttet werden . . . . Das ist ein riesiges Spektakulum, demgegenüber die Zuschauer zur passiven Rezeption gezwungen werden, die freilich eine entwicklichende Abstraktion darstellt, ein rein auf ein reines Schauspiel Schauen". Angesichts dieser fundamentalen Veränderungen ändert sich auch der Status der Philosophie: sie „legitimiert sich nicht mehr damit, eine Anschauung von der Welt zu sein, sie wird effektiv zur Welt. Sie wird auch mondän. Sie verweltlicht sich". Sie fällt „der herrschenden Öffentlichkeit anheim; sie erfährt ihre offizielle Anerkennung als allgemeines Kulturgut im Dienste des Staates". Nimmt man die beiden Resultate — Transzendentalität des Kapitals und Verweltlichung der Philosophie — zusammen und bezieht sie auf ihren Ausgangspunkt zurück — die abstrakte Arbeit — , so wird nachvollziehbar und verständlich, daß Krahl die reflexive Kritik der entwicklichenden Abstraktion für den aktuellen Angelpunkt ihrer kritisch-praktischen Aufhebung hält.

Walter Neumann
Arbeit? Nein, Danke

Eine Kritik an Gewerkschaften, Grünen, Frauenbewegung und „linker" Theorie zum Thema Arbeit

Ed. Nicole, 150 S. Pb., 8,80 DM (Sonderangebot), ISBN 3-925679-02-2

Wenn Krahl die Arbeit auf den Begriff bringt, zieht Neumann daraus die praktischen Konsequenzen subjektiver Vernunft. Er setzt sich mit den Vorstellungen der Gewerkschaften, der Grünen, der Frauenbewegung und der alten neuen Linken über die Arbeit, ihre Bedeutung und ihre mögliche konkrete Aufhebung innerhalb der heutigen nach-bürgerlichen Gesellschaft auseinander. Das Buch kritisiert die halbherzigen Strategien der Arbeitszeitverkürzung und Geldpolitik der Vertreter der organisierten Arbeitnehmer, die kompromißlerische Haltung der doppelten Ökonomie, die Anpassung der Frauen an den Arbeitsmarkt unter Aufgabe ihrer Selbstverwirklichung in der Konstitution einer neuen Gesellschaft und die Fetischisierung der Arbeit bei den Altmarxisten. Seine in Ansätzen hier vorliegende, empirisch belegte, neue Theorie entwirft außerdem ein Konzept zur Realisierung einer alternativen Ökonomie als Schmelztiegel der Subkultur mit den Arbeitslosen und anderen für eine neue Gesellschaft innerhalb der alten, die nicht auf Selbstausbeutung hinausläuft und Zeit und Raum für gesellschaftspolitische Aktivität läßt.

De Sade
Die Befreiung der Lust

Natur, Gesellschaft und Sexualität bei dem Marquis de Sade
Hrsg. Walter Neumann

Ed. Nicole, 120 S. Pb. m. 5 Abb., 16,50 DM, ISBN 3-925679-03-0

Die Sexualität der modernen bürgerlichen Gesellschaft hat in de Sade ihren radikalen Aufklärer gefunden, der deshalb moralisch und politisch unterdrückt wurde. Vor Freud analysiert er die von Natur, Gesellschaft und Sexualität vermittelte Liebe des abendländischen, selbstbewußten Menschen. Wie bei Foucault geht es dabei um Strategien der Macht und der Wahrheit über die Sexualität. Worauf auch Einleitung, Vor- und Nachworte des Herausgebers hinweisen, geht es ihm um die Kritik des heute wieder aktuellen Hedonismus der Konsumgesellschaft, der von bloßen Vorstellungen lebt und die bewußtseinskonstitutive Rolle unmittelbarer Bedürfnisbefriedigung zugunsten gegenseitiger Selbstbefriedigung krampfhaft abwehrt. Die Kritik der Frauenbewegung an de Sade schlägt damit unter den revolutionstheoretischen Aspekt der Veränderung der sexuellen Beziehungen auf diese zurück.

Ordnung ausdrückt. Andererseits soll sie erste Philosophie auch deshalb sein, weil sie als praktische Bejahung der Alterität und Exteriorität der Peripherie die wirklich ursprüngliche Sinndimension der Philosophie zur Sprache bringt, nämlich die historische Realität der unterdrückten Völker. Dieses Verständnis der Politik - worunter wohl Volkspolitik bzw. die bewußte Befreiungspraxis der Völker zu verstehen ist - als erste Philosophie will nach Dussel nicht nur die absolute Priorität, sondern auch den Kriteriumscharakter der Politik eindeutig bekräftigen.

Hervorzuheben ist schließlich noch ein Aspekt, der für die Dusselsche Position besonders bezeichnend ist. Die theoretische und praktische Aufhebung der Philosophie in der Politik, die ja letztlich Ausdruck der Hauptrolle des Volkes im Philosophieren ist, stellt allerdings das Ergebnis eines langen Prozesses dar, durch welchen das Volk sich seiner selbst bewußt wird und als kritisches, revolutionäres Subjekt in die Geschichte einbricht. Solange aber das Volk diesen Prozeß der Bewußtwerdung nicht vollzogen hat, wird wohl die Rolle des "engagierten" Philosophen notwendig sein, d.h. des Philosophen, der sich mit der Sache des Volkes identifiziert und gerade deshalb die Philosophie in eine Pädagogik, deren Hauptziel die Bildung bzw. Vertiefung des kritisch-revolutionären Bewußtseins des Volkes ist, umwandelt. Das soll allerdings nicht so verstanden werden, als würde Dussel damit die These zurücknehmen, nach welcher das Volk Ausgangspunkt und Subjekt der Philosophie ist. Gemeint ist vielmehr folgendes: Die kulturelle Entfremdung, die das kapitalistische Weltsystem in der Peripherie hervorgerufen hat, führt im Volk zur Verinnerlichung fremder Werte und somit auch zur Verachtung bzw. Verkennung der Möglichkeiten seiner eigenen Kulturtradition. In dieser - und nur in dieser - Situation der Entfremdung, in der das Volk kein kritisches Bewußtsein hat, bedarf es des kritischen Bewußtseins des engagierten Philosophen, um selbst zum eigenen kritischen Bewußtsein zu kommen. Dem engagierten Philosophen kommt also in dieser Phase die Aufgabe zu, Vorkämpfer für die Sache des Volkes zu sein und den Prozeß der Bewußtseinsbildung beim Volk und aus dem Volk in Gang zu setzen. Indem er sich dieser Aufgabe konsequent stellt, wird er Philosophie der Befreiung betreiben. Nur - wie bereits angedeutet - wird sich diese Philosophie der Befreiung, gerade weil sie der entfremdeten Situation des Volkes Rechnung tragen will, zunächst als Pädagogik der Befreiung ausdrücken. (26) Und sie wird tatsächlich nur dann eine solche sein, wenn sie auf das Volk hört und ihren Erziehungsprozeß als Artikulation des unterdrückten, sich dennoch durch die Entfremdungssituation hindurch meldenden Worts des Volkes auffaßt. Der Befreiungsphilosoph bzw. der Befreiungspädagoge ersetzt also das Volk nicht. Seine pädagogische Praxis spricht das Wort des Volkes aus und setzt so die lebendige - wenn auch entfremdete - Realität des Volkes als absoluten Referenzpunkt voraus.

5. Schlußbemerkung

Zentrales Anliegen der vorangehenden Ausführungen war es, Entstehungs- und Entwicklungsgeschichte der lateinamerikanischen Philosophie der Befreiung von ihrem Selbstverständnis aus zu durchleuchten. Deshalb haben wir in unserer Darstellung - von wenigen Momenten abge-

sehen, in denen doch eine Kritik angedeutet wurde - auf Kritik bzw.
Problematisierung der referierten Ansätze verzichtet. Dies soll auch
zum Schluß nicht nachgeholt werden. Schließen möchten wir lediglich
mit einem Hinweis auf die philosophische Rahmenbedingung, die die
Möglichkeit zur produktiven kritischen Rezeption der lateinamerikanischen Befreiungsphilosophie in Europa schaffen könnte.

Es kann eingeräumt werden, daß die Befreiungsphilosophie Lateinamerikas den europäisch geschulten Philosophen skeptisch stimmen muß.
Vieles an ihr wird ihm doch alles andere als selbstverständlich, ja sogar
als unverständlich vorkommen. Das dürfte allerdings kein Argument für
ihre voreilige Disqualifizierung sein. Denn den Europäern kann und will
die lateinamerikanische Philosophie der Befreiung gerade deshalb als
unverständlich erscheinen, weil sie ja das Verstehen derjenigen zur
Sprache bringt, denen im Namen der postulierten Universalität der europäischen Kultur ein eigenes Selbst- und Weltverständnis verweigert
wurde. Ihre "Unverständlichkeit" ist somit kein Zeichen defizienter Logik, sondern ein Hinweis auf die Andersheit des Logos, aus dem sie
spricht; und deshalb impliziert sie zugleich eine radikale Infragestellung
des Totalitätsanspruchs der europäischen Rationalität. Anders gesagt:
weil die "Unverständlichkeit" Aus-druck des Wortes ist, das die westliche Zivilisation in ihrer imperialistischen Expansion unter Druck hielt
und nicht zu Wort kommen ließ, will die lateinamerikanische Befreiungsphilosophie gerade in ihren "Unverständlichkeiten" bzw. "Sprachwidrig-
keiten" auf die Grenzen europäischer Vernunft hinweisen. Und eben
deshalb - meinen wir - sollte ihre "Unverständlichkeit" ernst genommen
werden und nicht Grund, sprich Vorwand, zur globalen, pauschalen Ablehnung sein.

So gesehen stellt die "Unverständlichkeit" der lateinamerikanischen
Befreiungsphilosophie eine Herausforderung für die europäische Philosophie dar. Sie wird herausgefordert, ihren eigenen Verstehenshorizont zu
relativieren. Und läßt sie sich auf diese Herausforderung ein, wird sie
anerkennen müssen, daß die Epoche, in der die Sache der Philosophie
eurozentrisch gedacht und artikuliert wurde, endgültig vorbei ist. Für
die europäische Philosophie bedeutet diese Erkenntnis allerdings weder
Selbstleugnung noch Preisgabe der Notwendigkeit philosophischer Auseinandersetzung. Denn diese Erkenntnis schafft gerade die Rahmenbedingung für einen interkulturell angelegten Dialog, in dem die Notwendigkeit der Kontrastierung philosophischer Positionen erst recht nötig
wird, und zwar deshalb, weil er im Geiste philosophischer Gleichberechtigung geführt wird.

Anmerkungen

(1) Zur Interpretation Lateinamerikas als Verstehenshorizont vgl. unse-
    ren Beitrag: "Dussels Methodologie und seine Interpretation der Ge-
    schichte der Kirche in Lateinamerika", in: *Concordia* 3 (1983) 101- 117
(2) Vgl. Osvaldo Ardiles, "Bases para una de-strucción de la historia de
    la filosofía en la América Indo-ibérica", in: *Nuevo Mundo* 1 (1974) 14
(3) Osvaldo Ardiles, "Líneas básicas para un proyecto de filosofar latino-
    americano", in: *Revista de Filosofía Latinoamericana* 1 (1975) 7

(4) Hugo Assmann, "Presupuestos políticos de una filosofía latinoamericana", in: *Nuevo Mundo* 1 (1973) 31
(5) Mario Casalla, "Filosofía y cultura nacional en la situación latinoamericana contemporánea", in: *Nuevo Mundo* 1 (1973) 44
(6) Vgl. Mario Casalla, a.a.O., S. 44
(7) Es sei angemerkt, daß wir hier ganz bewußt von einer "marxistisch
orientierten", nicht aber von einer marxistischen Strömung der Befreiungsphilosophie sprechen. Denn es handelt sich dabei um Philosophen, die - wie Dussel - bestimmte Elemente der marxistischen
Methode übernehmen, aber keine (dogmatische) marxistische Position vertreten. Hinzu kommt noch dies: die methodologischen Elemente, die vom Marxismus übernommen werden, bekommen doch
dabei neue Akzente, da sie ja von der konkreten geopolitischen Situation Lateinamerikas aus überdacht und angewandt werden.
(8) Rodolfo Kusch, "Una reflexión filosófica en torno al trabajo de
campo", in: *Revista de Filosofía Latinoamericana* 1 (1975) 92
(9) Vgl. Rodolfo Kusch, *Esbozo de una antropología filosófica americana*, Buenos Aires 1978, S. 7
(10) Rodolfo Kusch, *ebenda*, S. 13 ff.
(11) Rodolfo Kusch, *ebenda*, S. 18
(12) Rodolfo Kusch, *ebenda*, S. 18
(13) Es sei angemerkt, daß im Hintergrund der Argumentation von
Kusch die der spanischen Sprache wohl wesentliche Unterscheidung
zwischen "ser" und "estar" steht. "Ser" und "estar" bedeuten beide
in der Übersetzung das Verb 'sein', weisen aber auf grundverschie-
dene Bedeutungen hin. Vgl. hierzu: Juan Carlos Scannone, "Ein
neuer Ansatz in der Philosophie Lateinamerikas", in: *Philosophisches
Jahrbuch* 89 (1982) 99-115. Vgl. auch: Raúl Fornet-Betancourt, "Modos de pensar la realidad de América y el ser americano", in:
Cuadernos Salmantinos de Filosofía X (1983) 259 ff.
(14) Carlos Cullen, "El descubrimiento de la nación y la liberación de
la filosofía", in: *Nuevo Mundo* 1 (1973) 99
(15) Carlos Cullen, *ebenda*, S. 100
(16) Carlos Cullen, "Fenomenología de la sabiduría popular", in: *Revista
de Filosofía Latinoamericana* 5/6 (1977) 5
(17) Carlos Cullen, *ebenda*, S. 5
(18) Carlos Cullen, *ebenda*, S. 6
(19) Carlos Cullen, *ebenda*, S. 8
(20) Carlos Cullen, *ebenda*, S. 8
(21) Hierzu vgl. Juan Carlos Scannone, "Un nuevo punto de partida en
la filosofía latinoamericana", in: *Stromata* 1/2 (1980) 25-47
(22) Enrique D. Dussel, *Filosofía de la liberación*, México 1977, S. 13
(23) Vgl. dazu Enrique D. Dussel, *Método para una filosofía de la liberación*, Salamanca 1974, S. 183-197
(24) Enrique D. Dussel, *ebenda*, S. 197
(25) Enrique D. Dussel, *Filosofía de la liberación*, México 1977, S. 23
(26) Vgl. Enrique D. Dussel, a.a.O., S. 105 ff. Zur neuesten Weiterentwicklung der philosophischen Position Dussels vgl. seinen Beitrag
"Cultura latinoamericana y filosofía de la liberación", in: *Concordia
Internationale Zeitschrift für Philosophie* 6 (1984) 10-47

ANHANG

ZUR KRITIK DER

"INSTRUKTION ÜBER DIE CHRISTLICHE

FREIHEIT UND DIE BEFREIUNG"

AUS EINER NICHT-EUROPÄISCHEN PERSPEKTIVE

Im Vorwort der im August 1984 von der römischen Kongregation für die Glaubenslehre veröffentlichten *Instruktion über einige Aspekte der 'Theologie der Befreiung'* hieß es: "Die Kongregation für die Glaubenslehre beabsichtigt nicht, das weite Thema der christlichen Freiheit und der Befreiung vollständig zu behandeln. Sie nimmt sich vor, dies in einem späteren Dokument zu tun, das - in positiver Ausrichtung - alle Reichtümer ins rechte Licht stellt, sowohl in der Lehre als auch in der Praxis." (1) Dieses Vorhaben hat nun am 5. April 1986 die Glaubenskongregation mit der Publikation der *Instruktion über die christliche Freiheit und die Befreiung* verwirklicht. Gerade dieser Zusammenhang zur Instruktion von 1984 wird gleich in der Einführung der neuen hervorgehoben: "Die Instruktion ‹*Libertatis nuntius*› *über einige Aspekte der ‹Theologie der Befreiung›* kündete bereits die Absicht der Kongregation an, ein zweites Dokument zu veröffentlichen, das die grundlegenden Elemente der christlichen Lehre über Freiheit und Befreiung klar vorstellen soll. Die vorliegende Instruktion entspricht dieser Absicht." (2)

Die Wartezeit ist also zu Ende und damit auch die Zeit der Spekulation über den möglichen Inhalt bzw. Charakter des seit seiner Ankündigung mit wachsender Spannung - nicht nur in kirchlichen Kreisen - erwarteten Dokuments. Die neue Instruktion liegt nunmehr vor, und es gilt jetzt, ihren tatsächlichen Charakter zu analysieren. Zu dieser Aufgabe sollen eben die hier vorgelegten kritischen Anmerkungen beitragen, wenn auch nur in einer sehr begrenzten und daher auch ergänzungsbedürftigen Form, da wir ja unsere kritische Lektüre der neuen Instruktion von einer situierten kontextgebundenen Perspektive her vornehmen, deren Bedingung sich auf die Einsicht in die lebenszerstörende reale Situation Lateinamerikas sowie in die für Christentum und Kirche daraus resultierenden Herausforderungen zurückführen läßt. Klar ist auch, daß diese Kontextgebundenheit der Interpretationssicht - gerade weil sie den existentiellen geschichtlichen Grundbedingungen des christlichen Lebens auf dem lateinamerikanischen Subkontinent Rechnung tragen will - nicht bloß die geographische bzw. geopolitische Begrenztheit derselben, sondern vor allem ihre inhaltliche Parteilichkeit bei der Wertlegung der in der Instruktion behandelten Fragen anzeigt. Vor der Situation, aus der unsere Kritik ihre Sicht zur Beurteilung der Instruktion gewinnt, sind doch nicht alle Probleme gleich-wertig. Das soll ganz offen gestanden werden.

Andererseits scheint es uns ratsam, gleichzeitig darauf aufmerksam zu machen, daß unsere kritischen Anmerkungen sich dennoch an einer Erkenntnis orientieren, die durchaus als methodologisch verbindlich für jede Interpretation der neuen Instruktion betrachtet werden kann. Gemeint ist die Erkenntnis der inhaltlichen Zusammengehörigkeit zwischen der alten und der neuen Instruktion. Diese Erkenntnis, die bereits durch die angeführten Zitate dokumentiert wird - und weshalb sie auch angegeben worden sind -, gehört tatsächlich zum Selbstverständnis der neuen Instruktion und stellt somit einen ausgezeichneten normativen Hinweis zu jeder Lektüre derselben dar. In diesem Sinne heißt es unmißverständlich an einer Stelle der Einführung des neuen römischen Dokuments: "Zwischen beiden Dokumenten gibt es eine organische Beziehung. Sie müssen jeweils im Licht des anderen gelesen werden." (3)

Die Erkenntnis des organischen Zusammenhangs zwischen beiden Dokumenten erscheint uns umso wichtiger, als dadurch die *Instruktion über einige Aspekte der 'Theologie der Befreiung'* nicht nur den Charakter eines Referenzpunkts zur Deutung des Inhalts der *Instruktion über die christliche Freiheit und die Befreiung* gewinnt. Darüber hinaus wird sie auch zum inhaltlich bestimmenden Hintergrund. Bestimmend ist also die Instruktion von 1984 nicht nur für die Auslegung, sondern auch für den Inhalt selbst der neuen Instruktion. Die Konsequenz, die sich daraus ergibt, ist dann doch offensichtlich: weit davon entfernt, auf eine Kurskorrektur gegenüber der Instruktion von 1984 hin konzipiert zu sein, entspricht vielmehr das Dokument der Absicht, jene theologisch zu untermauern, und zwar durch die entsprechende fachspezifische Erörterung der Voraussetzungen, die in den damals gefällten Urteilen implizit blieben. Daher ist es für die *Instruktion über die christliche Freiheit und die Befreiung* kein Zufall, sondern eher eine methodologische und inhaltliche Notwendigkeit, sich bei den entscheidenden Fragestellungen auf die Instruktion von 1984 ausdrücklich zu berufen, wie unter anderem die 14 Hinweise auf diesen Text dokumentieren. Aus diesem Grund erklärt sich auch, daß das Konzept der neuen Instruktion einen grundlegenden Perspektivenwechsel eigentlich von vornherein ausschließt.

So gesehen könnte man unterstellen, daß die zugestandene "organische Beziehung" zwischen den beiden Dokumenten als subtiler Hinweis auf die bestehende inhaltliche Kontinuität zwischen den Instruktionen zu verstehen ist, wobei das Eigengewicht des zweiten Dokuments in seinem Beitrag zur theoretischen Begründung der gemeinsamen Thematik liegen würde. Hierfür spricht übrigens das Selbstverständnis der neuen Instruktion: "Das jetzige Dokument beschränkt sich darauf, die grundlegenden *theoretischen* und *praktischen* Aspekte des Themas vorzulegen." (4)

In diesem Zusammenhang darf noch folgendes hinzugefügt werden. Da das unterstellte Verständnis der "organischen Beziehung" als Zeichen von Kontinuität zwischen beiden Dokumenten den Gedanken voraussetzt, daß die Hauptintention der neuen Instruktion in der Überwindung des Begründungs- bzw. Theoriedefizits der ersten liegt, sprechen wir dabei von Kontinuität in einem ganz bestimmten Sinn, nämlich im Sinne von regressiver Kontinuität. Nicht Progression, sondern Regression zeichnet unseres Erachtens diese Kontinuität aus, weil sie der Notwendigkeit entspricht, bereits avanzierte Positionen nachträglich zu fundieren bzw. ihre Fundamente theoretisch vorzulegen.

Denkt man also die Erkenntnis der "organischen Beziehung" konsequent und macht man sie zum Leitfaden der Lektüre des neuen Dokuments, so wird man doch entdecken, daß die Grenzen dieser neuen Instruktion vorgezeichnet waren. Die apriorische Verpflichtung zur regressiven Kontinuität mit der Instruktion von 1984 war offensichtlich stärker als die Bereitschaft zur Rezeption der neuen Impulse. Denn nur so kann man verstehen, daß diese Instruktion, deren Redaktion eine weltweite Umfrage zum Thema bei den Bischofskonferenzen der Ortskirchen voranging, im Grundton genauso eurozentrisch wie die erste ist. Der Eurozentrismus ist aber nicht die einzige Grenze dieser Instruktion, die sich aus ihrer inhaltlichen Verbindung zur ersten erklären läßt. Dasselbe gilt auch für die distanzierte akademische Behandlungsweise, die an einigen Stellen notorisch wird und in der manche wirklichen *lebenswichtigen* Probleme der Menschheit heute und insbesondere der Menschen in der Dritten Welt mehr als "Fragen" denn als konkrete lebensvernichtende Situationen erfaßt werden. Ebenso könnte man schließlich die Tendenz zu zweideutigen, ja dualistischen Erklärungen beurteilen, die vielen der Darstellungen des neuen Dokuments zugrunde liegt, wie es sich z.B. bereits in der Einführung bei der Erörterung der Differenz zwischen der Bedingung der Freiheit und den praktischen Bedingungen der Freiheit zeigt. (Diese hier nur angesprochenen Kritikpunkte werden weiter unten näher erläutert.)

Wie die vorangehenden Hinweise verdeutlichen, erweist sich die Orientierung an der empfohlenen Erkenntnis der "organischen Beziehung" zwischen beiden Dokumenten als außerordentlich lehrreich für die kritische Betrachtung der neuen Instruktion. Ihre Erörterung hat uns ja zu einer ersten kritischen Annäherung geführt. Diese Erkenntnis soll uns deshalb weiterhin als Orientierungspunkt dienen, im folgenden jedoch soll nicht sie, sondern die von ihr ermöglichte Kritik in den Mittelpunkt gerückt werden, um diese an ausgewählten Thesen der neuen Instruktion eingehender zu erhellen bzw. zu konkretisieren, und zwar vom Standpunkt unserer lateinamerikanisch situierten Perspektive aus. Wir kommen also zum Grundanliegen unserer kritischen Bemerkungen zurück.

In der Tat kann die Lektüre der *Instruktion über die christliche Freiheit und die Befreiung* aus einer lateinamerikanisch kontextgebundenen Sicht heraus nicht nur dazu beitragen, die Grundzüge der oben angedeuteten Kritik konkret zu erläutern. Sie kann zudem diese Kritik mit weiteren neuen Gesichtspunkten sowie mit Anfragen aus der Glaubenserfahrung der von den in der Instruktion behandelten Problemen direkt betroffenen Menschen bereichern. Ihr Beitrag zur Kritik an die neue Instruktion läßt sich unseres Erachtens in den folgenden Punkten zusammenfassen, die hier in Anschluß an die Kapiteleinteilung der Instruktion gegliedert werden, um dem Leser die Übersicht zu erleichtern.

1. Zum ersten Kapitel: "Die Situation der Freiheit in der Welt von heute"

In diesem Zusammenhang muß einem Lateinamerikaner die eurozentrische Perspektive sofort ins Auge fallen. Macht doch die Instruktion bei ihrer Erörterung der Situation der Freiheit in der Welt von heute den Geist der europäischen Moderne zum zentralen Referenzpunkt. Dementsprechend akzentuiert die Analyse der gegenwärtigen Lage die Konsequenzen der europäischen Neuzeit: Fortschrittsideologie, Entwicklung von Wissenschaft und Technik als Instrumente zur Beherrschung der Natur, Zweideutigkeiten des modernen Befreiungsprozesses, usw. Man kann zwar nicht leugnen, daß der Rekurs auf die europäische Moderne seine Berechtigung hat. Es handelt sich doch um eine Epoche, die Entwicklungen ausgelöst hat, die von entscheidender Bedeutung für die gesamte Geschichte der Menschheit gewesen sind und die schon allein deshalb nicht nur auf Europa beschränkt werden können. Ebenso wenig kann bestritten werden, daß die Instruktion auch dieser weltweiten Dimension der Moderne Rechnung trägt, wenn sie z.B. auf die Gefahren der technologischen Macht und die daraus resultierenden Abhängigkeiten zwischen den Völkern aufmerksam macht. Dennoch dominiert die eurozentrische Sicht in ihrer Gesamtdarstellung der Situation der Freiheit in der Welt von heute. Daß bei der Gewichtung der Probleme unserer Gegenwart tatsächlich eurozentrisch gedacht wird, zeigt sich exemplarisch an der Vernachlässigung des gewaltigen Problems des Hungers. So hebt zu Recht die Instruktion unter den "bemerkenswerten Erfolgen" unserer Zeit hervor: "Die tägliche Nahrung ist für eine wachsende Zahl von Menschen gewährleistet." (5) Man vermißt aber den deutlichen Hinweis darauf, daß angesichts der realen Situation in vielen Ländern der Dritten Welt dieser Satz höchstens in seiner negativen Form Geltung hat, weil dort eben für eine wachsende Zahl von Menschen der Kampf um das tägliche Brot immer mehr zum Problem der Probleme wird. (6)

Der Eurozentrismus des Dokuments spiegelt sich aber auch in der Bedeutung wider, die im Kontext der Zweideutigkeiten des modernen Befreiungsprozesses dem Themenkreis um Atheismus, religiöse Entfremdung und Infragestellung der Moral beigemessen wird.

Weitere - und vielleicht noch deutlichere - Zeichen für die Vorherrschaft der eurozentrischen Sicht lassen sich ebenfalls im zweiten Abschnitt dieses ersten Kapitels, in dem es um die Erörterung der "Freiheit in der Erfahrung des Volkes Gottes" geht, feststellen. So zollt die Instruktion bereits zu Beginn der Darlegung des Verhältnisses zwischen Kirche und Freiheit dem immer noch nicht ganz bewältigten Erbe der europäischen Aufklärung Tribut, indem sie dabei mit Hinweisen zur Klärung möglicher Mißverständnisse um solche Probleme wie die der Freiheit des Denkens in bezug zum kirchlichen Lehramt oder der Autonomie der Wissenschaften ansetzt. Aber noch bezeichnender hierfür ist vielleicht die Tatsache, daß auf das Erfahrungspotential der Armen bzw. auf die "Schätze der Volksfrömmigkeit" zurückgegriffen wird, um die Erfahrung der christlichen Freiheit zwar in ihrer grundlegenden soteriologischen Bedeutung zu betonen, aber doch so, daß sie die real historische Dimension nicht mitzuimplizieren scheint. Auf der Basis der Glaubenserfahrung der Kleinen und Armen wird hier sicher zu Recht die unzerstörbare Wirklichkeit der christlichen Freiheit hervorgehoben. Sie macht die Würde aus, "die - wie ausdrücklich betont wird - kein Mächtiger ihnen rauben kann". (7) Oder wie es an einer Stelle des zweiten Kapitels heißen wird: "Die Allgemeinheit, bestärkt auch durch die christliche Erfahrung, weiß, daß die Freiheit selbst unter einschränkenden Bedingungen nicht völlig ausgelöscht wird." (8) Diese Darstellung ist zweifellos theologisch richtig. Und ihre theologische Gültigkeit wird auch nicht durch die Situation in Lateinamerika oder in anderen Ländern der Dritten Welt aufgehoben. Zu fragen bleibt dennoch, ob eine konsequente Berücksichtigung der brutalen Härte der Existenzbedingungen in den Ländern der Dritten Welt - die in mancher Region so hart sind, die die Möglichkeiten des Lebens nicht nur einschränken, sondern sie einfach zerstören - die Sicht für die notwendige ergänzende Bereicherung der Darstellung um die Erfahrung der historischen Zerbrechlichkeit der christlichen Freiheit und der menschlichen Würde eröffnet hätte. Mit anderen Worten: Die Integration der Dritten-Welt-Perspektive in der Darstellung der Erfahrung der christlichen Freiheit hätte die theologische Grundaussage darüber nicht geändert, aber sie hätte sie in ein konkreteres Verhältnis zum Eigengewicht der historischen Welt gestellt. Und dadurch, daß dies offensichtlich nicht geschehen ist, erweckt die vorgelegte Darstellung den Verdacht der Instrumentalisierung des Glaubenssinns der Armen im Hinblick darauf, die christliche Freiheit vor allem in ihrer inneren Dimension hervorzuheben. Diesen Verdacht hätte übrigens die Instruktion auch durch eine kohärentere Auslegung ihres eigenen Ausgangspunktes ausräumen können. Denn direkt zu Anfang vermerkt sie richtig: "Nun erfordert die Freiheit aber Bedingungen wirtschaftlicher, sozialer, politischer und kultureller Art, die ihre volle Ausübung ermöglichen." (9) Allerdings sind wir der Meinung, daß die Kohärenz bei der Interpretation dieser realen Bedingungen wiederum nur auf dem Weg der Integration der Dritten-Welt-Perspektive zu erlangen gewesen wäre.

2. Zum zweiten Kapitel: "Die Befreiung des Menschen zur Freiheit und das Drama der Sünde"

Auch von einer europäischen Sicht her müßten in diesem Kapitel zunächst einmal der Hang zur Abstraktheit bei der Erläuterung der Wahrheit und der Gerechtigkeit als Kriterien für die Freiheit sowie die dualistisch anmutende Unterscheidung zwischen dem personalen und dem sozialen strukturbedingten Vollzug der Freiheit Anlaß zur Kritik geben. Sieht man aber davon ab, so findet man hier wieder die eurozentrische Grundausrichtung der Argumentationslinie der Instruktion, und zwar bei der Erörterung eines der zentralen Themen des Dokuments, nämlich die Sünde. Damit meinen wir natürlich nicht die fundierte Darlegung der Sünde als Grundentfremdung des Menschen, die als "Wurzel aller anderen Entfremdungen" (10) zu verstehen ist. Gemeint ist vielmehr die Hervorhebung der individuellen Implikationen der Sünde bei gleichzeitiger Vernachlässigung der Erörterung ihrer sozial-strukturellen Dimension. Man könnte vielleicht einwenden, daß die Instruktion diese Dimension wohl berücksichtigt, indem sie z.B. vermerkt: der "Kult des Geschöpfes ... verfälscht die Beziehungen der Menschen untereinander und zieht verschiedene Formen der Unterdrückung nach sich". (11) Wahr ist aber auch, daß die Erörterung dieses Aspekts der Sünde mit Hinwendung zum Geschöpf ihren Kulminationspunkt einerseits im Atheismus und andererseits in der Vergötzung der irdischen Güter findet. Gerade dies ist jedoch ein Zeichen von Eurozentrismus. Denn nur aus dem Horizont einer aufgeklärten Konsumgesellschaft heraus können die Versuchungen des Atheismus und der Vergötzung irdischer Güter gewichtiger erscheinen als die eingehende Analyse der bestehenden Unterdrückungs- und Ungerechtigkeitsmechanismen im Lichte der christlichen Lehre über die Sünde. Hier müssen wir also auch sagen: Ein konsequenter Einblick in die Wirklichkeit der Welt der Armen hätte sicherlich zur Ansicht geführt, daß dort für Millionen von Menschen z.B. die Möglichkeit, Hungers zu sterben, weit realer als die der Vergötzung irdischer Güter ist. D.h. die Dritte-Welt-Perspektive hätte hier auch andere Akzente gesetzt.

3. Zum dritten Kapitel: "Befreiung und christliche Freiheit"

Ohne die positive Bedeutung und Entschiedenheit des Dokuments bei den zentralen Aussagen zu diesem wichtigen Thema verkennen zu wollen, muß jedoch gesagt werden, daß seine Ausführungen an einigen Stellen hier auch an den Mängeln der bereits kritisierten Argumentationslinie leiden. In diesem Zusammenhang wird z.B. die soziale Dimension der Sünde ebensowenig präzisiert bzw. konkretisiert wie vorher, so daß der Eindruck von einer etwas einseitigen Bevorzugung der individuellen Bedeutung von Befreiung entsteht. Aus der Sicht des Spiritualitätsvollzugs im lateinamerikanischen Kontext fällt ferner bei der Erörterung des Dokuments zu diesem Themenbereich eine gewisse spiritualisierende Tendenz auf, die in den folgenden Kapiteln sogar noch deutlicher zur Sprache kommt.

4. Zum vierten Kapitel: "Die befreiende Mission der Kirche"

Sehr klar lassen sich in dem vorliegenden Kapitel sowohl die eurozentrische Grundperspektive der Instruktion als auch die eben angesprochene spiritualisierende Tendenz erkennen. Exemplarisch zeigt sich das an der vorgelegten Deutung der Seligpreisungen sowie an den Schwierigkeiten, die das Dokument offensichtlich dabei hat, die befreiende Mission der Kirche harmonisch zu formulieren und zu begründen. Von unserer Sicht her ist es als eine Konsequenz der spiritualisierenden Tendenz der Instruktion zu betrachten, daß die Ausführungen über die befreiende Mission der Kirche eine etwas zweideutige Position reflektieren. Einerseits wird unmißverständlich die Grenze zwischen der Sendung der Kirche und der Politik klar gezogen, indem die Evangelisierung, die das Wesen der Sendung der Kirche ausmacht, als Verkündigung des Heils definiert wird, wobei das Heil zunächst einmal ausschließlich auf seine transzendente Bedeutung bezogen wird. Andererseits aber behauptet ebenso klar die Instruktion: "Bei dieser ihrer Sendung lehrt die Kirche den Weg, dem der Mensch in dieser Welt folgen muß, um in das Reich zu gelangen. Ihre Lehre erstreckt sich folglich auf den gesamten moralischen Bereich und besonders auf die Gerechtigkeit, die die menschlichen Beziehungen ordnen muß. Das gehört zur Verkündigung des Evangeliums." (12) Damit will sicher die Instruktion "sowohl die Einheit wie die Unterscheidung von Evangelisation und menschlicher Förderung" zum Ausdruck bringen. Zu vermerken bleibt jedoch, daß ihre Formulierungen zweideutig sind, und zwar deshalb, weil die Einheit beider Dimensionen nicht so stark wie der Unterschied betont wird. Die Sorge um den möglichen Irrtum eines diesseitigen Reduktionismus schien also größer als die Sorge um das umfassende Wohl des ganzen wirklichen Menschen zu sein. Die Zweideutigkeit der Position besteht allerdings nicht nur darin, daß man hier zwischen dem Vorrang der Reinheit der Lehre oder dem des Wohls des Menschen schwankt. Sie zeigt sich ebenfalls in dem Versuch, das zunächst ausgeklammerte politische Handeln doch noch zu integrieren, und zwar auf dem Umweg der Moral.

(Offensichtlich gehört für die Instruktion Gerechtigkeit nicht zur Politik, sondern nur zum moralischen Bereich.)

Weniger zweideutig scheint uns aus unserer Perspektive die Zweideutigkeit der vorgelegten Position dort, wo es um die Erläuterung des Zusammenhangs zwischen "Jesus und die Armut" und "Jesus und die Armen" geht. Dabei wird zwar die Option für die Armen klar bestätigt, ihre sozialethische politische Tragweite wird allerdings teilweise verdunkelt, weil sie eher vom Verständnis einer Liebe her, die Mitleid empfindet, als von der praktischen Erfahrung einer Liebe, die sich als Solidarität vollzieht, erläutert wird.

Andererseits wäre noch zu bedenken, ob die eurozentrische Perspektive nicht dazu geführt hat, den für bestimmte Richtungen der modernen europäischen bzw. nordatlantischen philosophischen Anthropologie charakteristischen Gegensatz zwischen "Sein" und "Haben" als Hintergrund für die Erhellung der Haltung der Christen vor Reichtum bzw. Armut als zu paradigmatisch zu verstehen. Selbstverständlich will diese kritische Anfrage nicht die Allgemeingültigkeit der Grunderkenntnis, die in diesem Gegensatz zur Sprache kommt, in Frage stellen. Keineswegs, und deshalb stimmen wir der Instruktion zu, wenn sie erklärt: "Indem die Kirche die Armen liebt, bezeugt sie die Würde des Menschen. Deutlich betont sie, daß der Mensch mehr gilt durch das, was er ist, als durch das, was er besitzt." (13) Unsere Anfrage will also lediglich zu bedenken geben, daß vor den herrschenden Besitzverhältnissen in Lateinamerika der Gegensatz zwischen "Sein" und "Haben", dessen Thematisierung vom Kontext der Überfluß- und Konsumgesellschaft entscheidend geprägt ist, seine in Europa weitgehend als selbstverständlich angenommene Aussagekraft verliert. Seine Gegensätzlichkeit ist weniger offensichtlich, und zwar einfach deshalb, weil dort für Millionen von Menschen die materielle Sicherung des Daseins derart unsicher ist, d.h. ihr Sein ist in seiner Lebensgrundlage so bedroht, daß das Haben für sie noch unmittelbar im Zusammenhang des alltäglichen Kampfs um die Beschaffung des Notwendigen zum Unter-Halt des Lebens steht. Für die, die Hungers sterben oder um das tägliche Brot bangen müssen, kann das Haben sicherlich eine Versuchung darstellen, tatsächlich verstehen sie es jedoch in erster Linie als zugehörig zum Versuch des Lebens, sich am Leben zu halten. (14) Im Lichte des Elends in der Dritten Welt erscheint also das Haben noch im Projekt der Selbsterhaltung des Seins eingefügt. Mit anderen Worten: im Vergleich zur Situation der Menschen in einer Konsumgesellschaft zeigt uns die Lage der Armen in der Dritten Welt das Leben auf einem Stadium, in dem die entfremdende Entzweiung von "Sein" und "Haben" noch nicht vollzogen ist bzw. vollzogen werden kann.

5. Zum fünften Kapitel: "Die Soziallehre der Kirche im Dienst einer christlichen Praxis der Befreiung"

Mit den Erörterungen in diesem Kapitel leistet die neue Instruktion zweifellos einen wichtigen, anerkennungswürdigen Beitrag zur Konkretisierung der kirchlichen Soziallehre angesichts der "starken Herausforderungen unserer Zeit". (15) Dieses Verdienst darf nicht übersehen werden, zumal damit die Instruktion die Möglichkeit für einen erneuernden Zugang zur Soziallehre auch aus dem Kontext der Dritten Welt heraus anzeigt. Nichtsdestoweniger merkt man auch hier, wie sehr der kulturelle Hintergrund der Argumentation von den Vorstellungen eines Humanismus europäischer Herkunft beherrscht wird, der daran hindert, den realen Konsequenzen der historischen Eigenständigkeit der wirtschaftlichen politischen Strukturen in der Dritten Welt in angemessener Weise Rechnung zu tragen. So wird in der Instruktion richtig eingesehen, daß die Strukturen "vom Willen des Menschen relativ unabhängig sind". (16) Zugleich aber wird hinzugefügt: "Sie hängen jedoch stets von der Verantwortung des Menschen ab, der sie verändern kann ..." (17) Gerade aber diese zweite Anmerkung reflektiert eine humanistische Position, die uns nicht ganz auf der Höhe der Zeit und insbesondere der historischen Situation in der Dritten Welt zu stehen scheint. Nicht daß wir das damit verbundene Prinzip des Vorrangs des Menschen vor den Strukturen antasten oder gar den Standpunkt des in der Instruktion zu Recht abgelehnten historischen Determinismus vertreten wollten. Nein, es geht vielmehr um den Hinweis, daß diese Anmerkung je nach Situation relativiert werden muß. Denn vor allem im Kontext der Dritten Welt ist tagtäglich zu erfahren, daß Freiheit und Determination sich nicht immer die Waage halten. Im Gegenteil, oft ist die Determination (der Strukturen) eine Hürde, an der die Freiheit faktisch zerbricht. Worin besteht denn sonst der Skandal des ungerechten Todes der Armen?

Aus dieser Sicht wäre es wohl erforderlich gewesen, die Macht der Strukturen stärker hervorzuheben, um Freiheit und Verantwortung des Menschen in einer besseren Relation zu den Rahmenbedingungen ihres historischen Vollzugs zu sehen. Denn wenn es wahr ist, daß die Strukturen "vom Willen des Menschen relativ unabhängig sind", dann muß es auch wahr sein, daß Freiheit und Verantwortung des Menschen ihrerseits auch von den Strukturen relativ abhängig sind. Damit - es darf nochmals unterstrichen werden - verfällt man weder in einen historischen Determinismus noch in einen verkappten Strukturalismus, denn Freiheit und Verantwortung des Menschen werden dadurch in keiner Weise ausgeschaltet. Es geht lediglich um die Hervorhebung der Grenzen eines optimistischen Humanismus, der dem real entfremdeten Menschen ohne weiteres die Möglichkeit zur Transformation der ihn unterdrückenden Strukturen einräumt. Deshalb stimmen wir grundsätzlich dem Leitgedanken zu, daß auch der entfremdete Mensch ein Mensch ist und bleibt. Angesichts der Machtstrukturen, die die Lebensbedingungen der Armen in der Dritten Welt bestimmen, müssen wir jedoch gleichzeitig zu bedenken geben, daß die Freiheit des entfremdeten Menschen auf ein Minimum reduziert werden kann; ein Minimum, das nicht immer ausreicht, um Strukturveränderungen erfolgversprechend zu tragen. Daher ist die Analyse der relativen Abhängigkeit der Freiheit des Menschen von den Strukturen im Kontext der Dritten Welt wirklich vorrangig. Und deshalb auch stehen dort viele Ortskirchen vor einer praktisch-pastoralen Aufgabe, die alle anderen Fragen mehr oder minder theoretischer Art aus diesem Themenbereich der menschlichen Freiheit in den Hintergrund drängt, nämlich die Aufgabe, dieses Minimum an Freiheit zu schützen und zu pflegen, damit es widerstandsfähiger uns so auch tragfähiger für das Projekt der integralen christlichen Befreiung wird.

Eine weitere kritische Anfrage stellt sich im Zusammenhang mit der eindeutigen Ablehnung der Revolution, die in der Instruktion folgendermaßen begründet wird: "Diejenigen aber, die den Weg der Reformen verächtlich machen zugunsten des Mythos der Revolution, nähren nicht nur die Illusion, die Beseitigung einer ungerechten Situation reiche in sich bereits aus, um eine menschlichere Gesellschaft zu schaffen, sondern fördern sogar das Aufkommen von totalitären Regimen." (18) Abgesehen davon, daß hier völlig undifferenziert von Revolution gesprochen wird, bestätigt zunächst der Hinweis auf die entsprechende Stelle der *Instruktion über einige Aspekte der >Theologie der Befreiung<*, mit dem dieses Zitat versehen ist, wie dieses harte Urteil über diejenigen, die für einen revolutionären Weg optieren, vor allem auf dem Hintergrund der eurozentrischen bzw. nordatlantischen Perspektive des Ost-West-Konfliktes gefällt wird. Andererseits ist nicht einzusehen - insbesondere im Kontext des Nord-Süd-Konfliktes, der eine zunehmende Bedeutung für die politischen Optionen der Christen in der Dritten Welt gewinnt -, weshalb Christen nicht in der Lage sein können, auch eine Revolution mit christlichen Werten zu bereichern. Die Erfahrungen von Kuba und Nicaragua, die leuchtende Beispiele für die unterschiedliche Haltung der Christen gegenüber einer Revolution sowie für die sich daraus ergebenden Konsequenzen für den tatsächlichen Verlauf der Revolution sind, haben der Möglichkeit des Engagements von christlicher Seite in einem revolutionären Prozeß ein derartiges Gewicht verliehen, daß sie zumindest im lateinamerikanischen Kontext von vornherein nicht ausgeschlossen werden kann. Und in jüngster Zeit ist für lateinamerikanische Christen die Betrachtung dieser Möglichkeit noch unumgänglicher geworden, nachdem Fidel Castro in den Gesprächen mit dem Dominikanerbruder Frei Betto über sein früheres Konzept einer politischen und strategischen Allianz zwischen Christen und Marxisten hinaus geht und die Notwendigkeit einer ethischen moralischen Allianz darlegt, und zwar als die grundlegende Form der bleibenden Zusammenarbeit zwischen Christen und Marxisten, die vor den schwierigen Problemen Lateinamerikas heute nötiger denn je wird. (19)

6. Zum Schluß

Auch einige der abschließenden Bemerkungen der neuen Instruktion geben Anlaß zu kritischen Anfragen aus lateinamerikanischer Sicht. Da ist zunächst die spiritualisierend anmutende Interpretation der wahren Tiefe des Glaubenssinns der Armen, die bereits angesprochen worden ist und die hier nochmals insbesondere bei dieser Warnung durchklingt: "Es wäre aber eine schlimme Verkehrung, wollte man sich der Energien der Volksfrömmigkeit bemächtigen, um sie auf ein Projekt rein irdischer Befreiung umzuleiten ..." (20) Noch bedenklicher erscheint es vielleicht jedoch dem lateinamerikanischen theologischen Selbstverständnis, daß die Anerkennung einer "Theologie der Freiheit und der Befreiung" als "eine Forderung unserer Zeit" (21) im Rahmen einer Argumentation dargelegt wird, die den Konsequenzen der fundamentalen methodologischen Option der lateinamerikanischen Theologie, nämlich des "Hörens auf das Volk" (22), zu widersprechen scheint. Hier die entscheidende Stelle: "Man muß durch eine tiefe Betrachtung des Heilsplans, wie er sich vor der Gottesmutter im *Magnificat* ausbreitet, dem Glauben der Armen helfen, sich klar auszudrücken und sich im Leben zu verwirklichen. Hier liegt eine ehrenvolle kirchliche Aufgabe, die auf den Theologen wartet." (23) Damit - so meinen wir - wird gerade das Verständnis von Theologie angedeutet, das die lateinamerikanische Befreiungstheologie zu überwinden versucht. Sie will doch keine Theologie von Experten bzw. von Aufklärern des Glaubens des Volkes sein, sondern die Lehrautorität der Armen ernst nehmen, um über sich selbst zu lernen, daß sie eine Aufgabe ist, deren historische Träger die Armen sind und daß folglich die Armen es sind, die ihr helfen, "sich klar auszudrücken und sich im Leben zu verwirklichen."

Die kurz dargelegten Elemente zur Kritik der *Instruktion über die christliche Freiheit und die Befreiung* werden sicherlich dem europäischen bzw. deutschen Leser einseitig vorkommen. In gewisser Weise sind sie es auch, sofern sie eben - wie bereits zu Anfang klargestellt wurde - einer bewußt kontextgebundenen lateinamerikanischen Perspektive entspringen. Bei aller Parteilichkeit dieser Kritik bleibt jedoch zu bedenken, daß sie von einem historischen Hintergrund spricht, der für die Lage, in der sich heute die eindeutige Mehrheit der Katholiken befindet, repräsentativ ist. Bedenkt man also dies, so ist die Parteilichkeit dieser Kritik als Ausdruck einer Kontextualisierung des christlichen Glaubens zu sehen, die immer mehr zum Mittelpunkt jeder gegenwärtigen theologischen Positionsbestimmung innerhalb der Katholischen Kirche werden sollte. So gesehen ist diese Kritik, wenn man so will, nichts anderes als ein Plädoyer dafür, daß die geographische Verschiebung der Lebenszentren christlichen Glaubens zu einer sachlichen Verschiebung bei der Bestimmung und Analyse gegenwärtiger Probleme auch im römischen Lehramt führen sollte. Dafür jedoch ist vielleicht zuallererst die Durchsetzung der Ansicht erforderlich, daß Universalität nicht mit kontextueller Unbestimmtheit zu verwechseln ist, und daß es deshalb auch nicht mehr ausreicht, Universalität nur auf einen bestimmten Abstraktionsgrad möglich zu machen.

Anmerkungen

(1) Verlautbarungen des Apostolischen Stuhls, Instruktion der Kongregation für die Glaubenslehre über einige Aspekte der "Theologie der Befreiung", 57, herausgegeben vom Sekretariat der Deutschen Bischofskonferenz, Bonn 1984, S. 3
(2) Kongregation für die Glaubenslehre, Instruktion über die christliche Freiheit und die Befreiung, Vatikanstadt 1986, S. 4
(3) a.a.O., S. 4
(4) a.a.O., S. 4
(5) a.a.O., S. 7
(6) Für eine philosophisch-anthropologische Begründung der Bedeutung des Hungerproblems im Gesamtkontext der heutigen Welt vgl. Raúl Fornet-Betancourt, "La existencia como resistencia. Apuntes para una nueva praxis política", in: *Concordia. Internationale Zeitschrift für Philosophie* 7 (1984) 95-101
(7) Kongregation für die Glaubenslehre, a.a.O., S. 14
(8) a.a.O., S. 19-20
(9) a.a.O., S. 3
(10) a.a.O., S. 23
(11) a.a.O., S. 24

(12) a.a.O., S. 40

(13) a.a.O., S. 43

(14) Nicht uninteressant mag der Hinweis sein, daß das spanische Verb "tener" - wie übrigens auch das deutsche "haben" - ebenfalls "halten" bedeuten kann.

(15) Kongregation für die Glaubenslehre, a.a.O., S. 45

(16) a.a.O., S. 47

(17) a.a.O., S. 47

(18) a.a.O., S. 50

(19) Vgl. Frei Betto (Hrsg.): *Fidel y la religión*, La Habana 1985. Als Beispiel für manche kontextbedingte lateinamerikanische Akzentverschiebung darf darauf hingewiesen werden, daß in Kuba sogar die Kirche - wie unter anderem auf dem ersten Nationalkongreß der kubanischen Kirche im Februar 1986 bestätigt wurde - eigentlich nicht vom Dialog zwischen Christentum und Marxismus, sondern eher vom Dialog zwischen Revolution und Christentum spricht.

(20) Kongregation für die Glaubenslehre, a.a.O., S. 62

(21) a.a.O., S. 62

(22) Vgl. dazu: 2. Kapitel dieses Buches: " 'Hören auf das Volk' - Theologische Methode oder ideologisches Programm? Überlegungen zur Denkstruktur der lateinamerikanischen Befreiungstheologie", insbesondere S. 32/33

(23) Kongregation für die Glaubenslehre, a.a.O., S. 61-62

AUSWAHLBIBLIOGRAPHIE

A) Zur Theologie der Befreiung

ADVENIAT (Hrsg.): Hoffnung der Kirche. Die kirchlichen Basisgemeinden in Lateinamerika, Aachen 1984

AHRENS, NORBERT: Gott ist Brasilier, doch der Papst ist Pole. Hintergründe der Theologie der Befreiung, Bornheim-Merten 1986

ANA, JULIO DE SANTA: Gute Nachricht für die Armen: Die Herausforderung der Armen in der Geschichte der Kirche, Wuppertal 1966

ASSMANN, HUGO u.a.: Die Götzen der Unterdrückung und der befreiende Gott, Münster 1984

BLATEZKY, A.: Sprache des Glaubens in Lateinamerika. Eine Studie zu Selbstverständnis und Methode der Theologie der Befreiung, Frankfurt 1978

BOFF, CLODOVIS: Theologie und Praxis. Die erkenntnistheoretischen Grundlagen der Theologie der Befreiung, München/Mainz 1983

—: Mit den Füßen am Boden. Theologie aus dem Leben des Volkes, Düsseldorf 1986

—: Reflexionen zu Grundanliegen der lateinamerikanischen Befreiungstheologie, Freiburg (CH) 1986

BOFF, LEONARDO: Theologie hört aufs Volk. Ein Reisetagebuch, Düsseldorf 1982

—: Aus dem Tal der Tränen ins Gelobte Land. Der Weg der Kirche mit den Unterdrückten, Düsseldorf 1982

—: Die Neuentdeckung der Kirche. Basisgemeinden in Lateinamerika, Mainz 1980

—: Zärtlichkeit und Kraft. Franz von Assisi mit den Augen der Armen gesehen, Düsseldorf 1983

—: Jesus Christus, der Befreier, Freiburg 1986

—: Kirche: Charisma und Macht. Studien zu einer streitbaren Ekklesiologie, Düsseldorf 1985

—: Das mütterliche Antlitz Gottes. Ein interdisziplinärer Versuch über das Weibliche und seine religiöse Bedeutung, Düsseldorf 1985

BOFF, LEONARDO u. CLODOVIS: Wie treibt man Theologie der Befreiung?, Düsseldorf 1986

BONNIN, EDUARDO (Hrsg.): Spiritualität und Befreiung in Lateinamerika, Würzburg 1984

BUHL, THOMAS / KLOHR, OLOF: Zur Theologie der Befreiung, Rostock 1986

CASTILLO, FERNANDO (Hrsg.): Theologie aus der Praxis des Volkes, München/Mainz 1978

—: Die Kirche der Armen in Lateinamerika. Eine theologische Hinführung, Freiburg (CH) 1987

DUSSEL, ENRIQUE: Herrschaft und Befreiung. Ansatz, Stationen und Themen einer lateinamerikanischen Theologie der Befreiung, Freiburg (CH) 1985

EICHER, PETER: Theologie der Befreiung im Gespräch, München 1985

FISCHER, GERD-DIETER: "Theologie in Lateinamerika als Theologie der Befreiung", in: *Theologie und Glaube* 62 (1972) 161-178

—: "Befreiung, Zentralbegriff einer neuorientierten lateinamerikanischen Theologie", in: *Theologie und Glaube* 63 (1973) 1-23

—: Richard Schaulls "Theologie der Revolution". Eine theologische und ethische Argumentation auf dem Hintergrund der Situation in Lateinamerika, Frankfurt 1984

FORNET-BETANCOURT, RAUL: Annäherung an Lateinamerika. Die Theologie der Befreiung und die gesellschaftliche Entwicklung Lateinamerikas, Frankfurt 1984

FREIRE, PAULO; BETTO, FREI: Schule, die Leben heißt - Befreiungstheologie konkret. Ein Gespräch, München 1986

FRIELING, REINHARD: "Die lateinamerikanische Theologie der Befreiung", in: *Materialdienst des konfessionskundlichen Instituts Bensheim* 2 (1972) 26-35

—: "Befreiungstheologien", in: *Materialdienst des konfessionskundlichen Instituts Bensheim* 3 (1973) 51-55

—: Befreiungstheologien. Studien zur Theologie in Lateinamerika, Göttingen 1984

GALILEA, SEGUNDO: "Befreiung als Begegnung zwischen Politik und Kontemplation", in: *Concilium* 10 (1974) 388-395

—: "Die Diskussion über die Volksreligiosität in der lateinamerikanischen Befreiungstheologie", in: *Concilium* 16 (1980) 418-422

GALINDO, FLORENCIO: "Es gibt eine authentische Theologie der Befreiung. Überlegungen zur Polemik um die Theologie der Befreiung", in: *Ordenskorrespondenz* 26 (1984) 435-446

GALINDO, FLORENCIO: "Die Theologie der Befreiung. Hintergründe zum Verständnis der Polemik", in: *Lebendiges Zeugnis* 3 (1985) 56-66

GARCIA MATEO, ROGELIO: "Die Befreiungstheologie und die Scholastik. Zum Dialog zwischen den Befreiungstheologen und ihren Kritikern", in: *Stimmen der Zeit* 203 (1985) 748-754

—: "Die Methode der Theologie der Befreiung zur Überwindung des Erfahrungsdefizits in der Theologie", in: *Stimmen der Zeit* 204 (1986) 386-196

GOLDSTEIN, HORST (Hrsg.): Befreiungstheologie als Herausforderung. Anstöße - Anfragen - Anklagen, Düsseldorf 1981

GREINACHER, NORBERT: Die Kirche der Armen. Zur Theologie der Befreiung, München 1980

— (Hrsg.): Konflikt um die Theologie der Befreiung. Diskussion/Dokumentation, Zürich/Einsiedeln/Köln 1985

GUTIERREZ, GUSTAVO: Theologie der Befreiung, München 1973

—: Die historische Macht der Armen, München/Mainz 1984

—: Aus der eigenen Quelle trinken. Spiritualität der Befreiung, München 1986

—: "Theologie der Befreiung zwischen Aktion und Kontemplation. Ein Interview", in: *Concordia, Internationale Zeitschrift für Philosophie* 12 (1987)

HASENHÜTTL, GOTTHOLD: Freiheit in Fesseln - Die Chance der Befreiungstheologie. Ein Erfahrungsbericht, Freiburg/Olten 1985

HENGSBACH, FRANZ / RAUSCHER, ANTON: Kirche und Befreiung, Aschaffenburg 1975

HERMANS, KAREL: Rückgewinnung des Glaubens in der Theologie des Volkes. Entwicklungen in der lateinamerikanischen Kirche als Frage nach Orten und Ort befreiender Theologie, Münster 1981

HERR, THEODOR: "Theologie der Befreiung und katholische Soziallehre", in: *Lebendiges Zeugnis* 3 (1985) 25-39

HOFMANN, MANFRED: Identifikation mit dem Anderen. Theologische Themen und ihr hermeneutischer Ort bei lateinamerikanischen Theologen der Befreiung, Stockholm/Göttingen 1978

HÖFFNER, HOSEPH: Soziallehre der Kirche oder Theologie der Befreiung? Bonn 1984

HUBER, EDUARD: "Bemerkungen zum Marxismusverdacht und Marxismusvorwurf", in: *Lebendiges Zeugnis* 3 (1985) 68-73

HÜNERMANN, PETER: "Lateinamerikas Staatsklasse und die Armen. Der gesellschaftliche 'Ort' der Befreiungstheologie", in: *Herder-Korrespondez* 38 (1984) 475-480

HÜNERMANN, PETER; FISCHER, GERD-DIETER (Hrsg.): Gott im Aufbruch. Die Provokation lateinamerikanischer Theologie, Freiburg 1974

KAMPHAUS, FRANZ: "Was unterscheidet, was verbindet die Kirche Europas und Lateinamerika", in: *Herder-Korrespondenz* 39 (1985) 171-177

— : "Anfragen an die Theologie der Befreiung auf dem Hintergrund der Instruktion der Kongregation für die Glaubenslehre über einige Aspekte der 'Theologie der Befreiung' ", in: *Ordenskorrespondenz* 26 (1985) 424-434

KLOPPENBURG, BONAVENTURA: Die Neue Volkskirche, Aschaffenburg 1981

LEHMANN, KARL (Hrsg.): Theologie der Befreiung, Einsiedeln 1977

MEIER, JOHANNES: "Die Kirchengeschichte vom Volk aus schreiben", in: *Iberoamericana* 5 (1981) 92-104

MESTERS, CARLOS: Vom Leben zur Bibel - von der Bibel zum Leben. Ein Bibelkurs aus Brasilien für uns, 2 Bde., Mainz 1983

— : Die Botschaft des leidenden Volkes, Neukirchen/Vluyn 1982

METZ, JOHANN BAPTIST (Hrsg.): Die Theologie der Befreiung: Hoffnung oder Gefahr für die Kirche, Düsseldorf 1986

MIFSUD, TONY: "Die Entwicklung einer Ethik der Befreiung in den kirchlichen Dokumenten seit dem Zweiten Vatikanum", in: *Concilium* 20 (1984) 127-132

MINGUEZ BONINO, JOSE: Theologie im Kontext der Befreiung, Göttingen 1977

MISSIONSZENTRALE DER FRANZISKANER (Hrsg.): Theologie der Befreiung. Anliegen - Streitpunkte - Personen, Bonn 1986

MITTERHÖFER, JAKOB: "Theologie der Befreiung. Ein Zwischenbericht", in: *Theologisch-praktische Quartalschrift* 4 (1985) 333-342

MORENO REJON, FRANCISCO: "Auf der Suche nach dem Reich und seiner Gerechtigkeit. Die Entwicklung der Ethik der Befreiung", in: *Concilium* 20 (1984) 115-120

MOSER, ANTONIO: "Die Vorstellung Gottes in der Ethik der Befreiung", in: *Concilium* 20 ('984) 121-126

NUSCHELER, FRANZ: Christliche Revolution? Mannheim/Ludwigshafen 1970

PECHMANN, FRITZ: Die Pädagogik Paulo Freires in ihrer Stellung zur Theologie der Befreiung, München 1984

POST, WERNER. "Fetischcharakter der Ware und seine Kritik. Zur Fruchtbarkeit Marxscher Theoreme in der Theologie der Befreiung", in: *Orientierung* 49 (1985) 210-212

PRIEN, HANS-JÜRGEN (Hrsg.): Lateinamerika: Gesellschaft - Kirche - Theologie, 2 Bde., Göttingen 1981

RAHNER, KARL (Hrsg.): Befreiende Theologie, Stuttgart 1977

—: Volksreligion, Religion des Volkes, Stuttgart 1979

RATZINGER, JOSEF: "Die Theologie der Befreiung", in: *Die Neue Ordnung* 4 (1984) 285-295

REISER, ANTONIO; SCHOENBORN, PAUL GERHARD (Hrsg.): Basisgemeinden und Befreiung. Lesebuch zur Theologie und christlicher Praxis in Lateinamerika, Wuppertal 1981

ROOS, LOTHAR: Befreiungstheologien und katholische Soziallehre, Bd. I und II, Köln 1985

ROTTLÄNDER, PETER (Hrsg.): Theologie der Befreiung und Marxismus, Münster 1986

REMMERT-FONTES, INGE: Befreiung findet hier und jetzt statt. Zur Praxis der Theologie in Nicaragua, Wuppertal 1982

SCHERMANN, R.: Die Guerrilla Gottes. Lateinamerika zwischen Marx und Christus, Düsseldorf 1983

SCHÖPFER, HANS: Lateinamerikanische Befreiungstheologie, Stuttgart 1979

—: Theologie an der Basis. Dokumente und Kommentare zum theologischen Nord-Süd-Dialog, Regensburg 1983

SEIBEL, WOLFGANG (Hrsg.): Daß Gott den Schrei seines Volkes hört. Die Herausforderung der lateinamerikanischen Befreiungstheologie, Freiburg/Bern 1987

SIEVERNICH, MICHAEL: Gott und die Armen. Über die Theologie der Befreiung, Lautesdorf 1986

—: "Theologie der Befreiung im interkulturellen Gespräch", in: *Theologie und Philosophie* 61 (1986) 336-358

SIMIAN-YOFRE, HORACIO: "Die Theologie der Befreiung und ihre bibeltheologische Voraussetzungen", in: *Stimmen der Zeit* 196 (1978) 807–818

SOBRINO, JON: "Die <Lehrautorität> des Volkes Gottes in Lateinamerika", in: *Concilium* 21 (1985) 269-274

VENETZ, HERMANN JOSEF / VORGRIMLER, HERBERT (Hrsg.): Das Lehramt der Kirche und der Schrei der Armen. Analysen zur Instruktion der Kongregation für die Glaubenslehre über einige Aspekte der "Theologie der Befreiung", Freiburg (CH)/Münster 1985

WALDENFELS, HANS: "Zur Diskussion um die Theologie der Befreiung", in: *Lebendiges Zeugnis* 3 (1985) 5-24

ZAMBRANO, LUIS: Entstehung und theologisches Verständnis der "Kirche des Volkes" (iglesia popular) in Lateinamerika, Frankfurt/Bern 1982

ZWIEFELHOFER, HANS: Bericht zur "Theologie der Befreiung", München 1974

B) Zur philosophischen Entwicklung in Lateinamerika

ALBERINI, CORIOLANO: Die deutsche Philosophie in Argentinien, Berlin 1930

ALVAREZ-VILLABLANCA, AGUSTIN: Carlos Vaz Ferreira, ein führender Pädagoge Südamerikas, Dissertation, Jena 1936

BASAVE FERNANDEZ DEL VALLE, AGUSTIN: "Christliche Philosophie in Lateinamerika", in: *Concordia, Internationale Zeitschrift für Philosophie* 12 (1987)

DEL-NEGRO, WALTER: "Der Philosophische Empirismus von Raimundo Pardo", in: *Zeitschrift für Philosophische Forschung* 10 (1956) 83-94

DESSAU, ADELBERTO (Hrsg.): Die politisch-ideologischen Strömungen der Gegenwart in Lateinamerika, Berlin (Ost) - im Druck -

DIETSCHY, BEAT: "Die Inkorporation der Häresie ins Dogma. José Carlos Mariátegui und Ernst Bloch", in: *Concordia, Internationale Zeitschrift für Philosophie* 11 (1987) 24-39

DUSSEL, ENRIQUE: "Befreiungsethik. Grundlegende Hypothesen", in: *Concilium* 20 (1984) 133-141

—: Gemeinschaftliche Ethik, Düsseldorf 1987 - im Druck -

—: Philosophie der Befreiung (Übersetzung von Peter Penner, mit einer Einleitung von Raúl Fornet-Betancourt) - in Vorbereitung -

FORNET-BETANCOURT, RAÚL: "Anmerkungen zur Rezeptionsgeschichte Kants in Südamerika", in: *Kant-Studien* 75 (1984) 317-327

—: Kommentierte Bibliographie zur Philosophie in Lateinamerika, Frankfurt/Bern 1984

— (Hrsg.): Ethik in Deutschland und Lateinamerika heute. Akten der I. Deutsch-Iberoamerikanischen Ethik-Tage, Frankfurt/Bern/New York 1987

FREIRE, PAULO: Pädagogik der Unterdrückten, Stuttgart 1971

—: Erziehung als Praxis der Freiheit, Stuttgart 1974

FROM, HILDE: "Eugenio María de Hostos, ein Leben für Ibero-Amerika", in: *Ibero-Amerikanisches Archiv* 14 (1937) 68-75

GERSTENBERG, BIRGIT: Grundzüge der philosophischen Aufklärung in Kuba. Eine Untersuchung am Beispiel des philosophischen Werkes von José de la Luz y Caballero", (Dissertation A), Rostock 1986

GERSTENBERG, BIRGIT: "Grundzüge der philosophischen Aufklärung in Kuba", in: *Deutsche Zeitschrift für Philosophie* 34 (1986) 693-701

—: "Wie und warum entstand Philosophie in verschiedenen Regionen der Welt" (Lateinamerika), in: *Deutsche Zeitschrift für Philosophie* 34 (1986) 1023-1026

GOERGEN, PEDRO: Der Positivismus Auguste Comtes und seine Auswirkungen in Brasilien, (Dissertation), München 1975

GUADARRAMA, PABLO: Die philosophische Auffassung Enrique José Varonas von der Gesellschaftsentwicklung, (Dissertation), Leipzig 1980

—: "Die gesellschaftlichen und ethischen Auffassungen Varonas", in: *Deutsche Zeitschrift für Philosophie* 31 (1983) 354-362

—: "Zum Problem der Originalität der lateinamerikanischen Philosophie", in: *Deutsche Zeitschrift für Philosophie* 33 (1985) 788-796

HÖLLHUBER, IVO: Geschichte der Philosophie im spanischen Kulturbereich, München/Basel 1967

KLEIN, ANSGAR: "Die Neue Welt in Hegels Geschichtsphilosophie und die Dialektik der Ungleichzeitigkeit", in: *Hegel-Jahrbuch* 7 (1974) 71-80

LADUSANS, STANISLAUS: "Bestandsaufnahme der gegenwärtigen philosophischen Strömungen in Lateinamerika", in: *Zeitschrift für Philosophische Forschung* 24 (1970) 133-135

LEBER, GISELA: Die Bedeutung von José Martí für die Ausprägung des kubanischen Nationalbewußtseins, (Dissertation), Rostock 1966

LEZAMA LIMA, JOSE: Die Ausdruckswelten Amerikas, Frankfurt 1981

MALIANDI, RICARDO: "Der Einfluß der deutschen Philosophie der Gegenwart in Argentinien", in: *Zeitschrift für Philosophische Forschung* 22 (1968) 100-111

MONAL, ISABEL: "Vom Liberalismus zum antiimperialistischen Demokratismus", in: *Deutsche Zeitschrift für Philosophie* 29 (1981) 570-579

REINHARD, RUDOLF: "Zur spanischen Kolonialethik in Chile im 16. Jahrhundert", in: *Gesammelte Aufsätze zur Kulturgeschichte Spaniens*, hrsg. von der Görresgesellschaft, Bd. 10, Münster 1975, S. 96-112

REZENDE MARTINS, ESTEVEÃO DE: "Die Situation der Philosophie in Brasilien", in: *Zeitschrift für Philosophische Forschung* 38 (1984) 648-658

ROMERO HERNANDEZ, FRANCISCO: Das philosophische Denken des Agustín Basave Fernández del Valle, (Dissertation), München 1970

RUSKER, UDO: Nietzsche in der Hispania, Bern/München 1967

SABATO, ERNESTO: "Die Rebellion des Menschen", in: *Concordia, Internationale Zeitschrift für Philosophie* 11 (1987) 42-55

SAMPAIO FERRAZ, TERCIO: "Einige Bemerkungen zu Miguel Reales Begründung der Wissenschaftlichkeit des Rechts", in: *Archiv für Rechts- und Sozialphilosophie* 56 (1970) 273-283

—: "Deutsches Gedankengut in der brasilianischen Rechtsphilosophie", in: *Archiv für Rechts- und Sozialphilosophie* 71 (1985) 1-16

SAUERWALD, GREGOR: "Zur Rezeption und Überwindung Hegels in lateinamerikanischer Philosophie der Befreiung", in: *Hegel-Studien* 20 (1985) 221-245

SCANNONE, JUAN CARLOS: "Ein neuer Ansatz in der Philosophie Lateinamerikas", in: *Philosophisches Jahrbuch* 89 (1982) 99-115

—: "Volksreligiosität, Volksweisheit und Philosophie in Lateinamerika", in: *Theologische Quartalschrift* 3 (1984) 203-214

—: "Weisheit des Volkes und Spekulatives Denken", in: *Theologie und Philosophie* 60 (1985) 161-187

SERRANO CALDERA, ALEJANDRO: "Marxismus und Christentum in Nicaragua. Ein Interview", in: *Concordia, Internationale Zeitschrift für Philosophie* 7 (1985) 36-46

VETTER, ULRICH: "Alejandro O. Deústua - Der "neue Idealismus" in Lateinamerika zu Beginn des 20. Jahrhunderts", in: *Deutsche Zeitschrift für Philosophie* 35 (1987) 548-554

ZWIEFELHOFER, HANS: "Die hispanoamerikanische Revolution und die Ideen der Scholastik", in: *Stimmen der Zeit* 202 (1984) 75-88

Quellenhinweise

1. Die Bedeutung der lateinamerikanischen Philosophie und Theologie der Befreiung als Beitrag zur Überwindung des Eurozentrismus, zuerst erschienen in: *Stimmen der Zeit* 205 (1987) 323-330

2. Der Marxismus-Vorwurf gegen die lateinamerikanische Theologie der Befreiung, zuerst erschienen in: *Stimmen der Zeit* 203 (1985) 231-240

3. "Hören auf das Volk". Theologische Methode oder ideologisches Programm? Überlegungen zur Denkstruktur der lateinamerikanischen Theologie der Befreiung, zuerst erschienen in: *Stimmen der Zeit* 204 (1986) 169-184

4. Die Frage nach der lateinamerikanischen Philosophie, dargestellt am Beispiel des Argentiniers Juan Bautista Alberdi, Vortrag gehalten am 10. September 1984 am Philosophischen Seminar der Universität zu Köln. Deutsche Erstveröffentlichung.

5. Zur Geschichte und Entwicklung der lateinamerikanischen Philosophie der Befreiung, zuerst erschienen in: *Concordia, Internationale Zeitschrift für Philosophie* 6 (1984) 78-98

6. Zur Kritik der "Instruktion über die christliche Freiheit und die Befreiung" aus einer nicht-europäischen Perspektive, deutsche Erstveröffentlichung.

Lateinamerika

Martha Honey/Tony Avirgan/Georg Hodel
Das Attentat von «La Penca» und andere Geschichten von «Contragate» und «Cocagate»
ca. 180 Seiten, ca. Fr. 22.80/DM 24.80, mit Fotos, ISBN 3-85869-042-6,

Miguel Angel Astirias
Weekend in Guatemala
Neugestaltete Neuauflage des 1983 im rpv erschienenen Buches über den Sturz der Arbenz-Regierung 1954 in Guatemala ca. 235 Seiten, ca. Fr. 22.80/DM 24.80, ISBN 3-85869-025-2, erscheint März 88

René Bascope/Joaquín Hinojosa
Die weisse Ader
Koka und Kokain in Bolivien.
Ca. 210 Seiten, ca. Fr. 22.80/DM 24.80, ISBN 3-85869-047-3, erscheint im Juni 88

Mario Benedetti
Danke für das Feuer
Sein klassischer Roman aus Uruguay.
224 Seiten, Fr. 24.80/DM 26.80, engl. Broschur, übersetzt von Marie-Louise Nobs ISBN 3-85869-042-2

Mario Benedetti
Literatur und Revolution
Essays. Lateinamerika. 160 Seiten, übersetzt von Vilma Hinn, franz. Broschur, Fr. 20.80/DM 23.50, ISBN 3-85869-033-3

Mario Payeras
Wie in der nacht die Morgenröte
Tagebuch einer guatemaltekischen Guerilla 168 Seiten, mit Fotos, Fr. 16.80/DM 18.80 ISBN 3-85869-029-5, franz. Broschur

Francis Pisani
Muchachos
Tagebuch der sandinistischen Revolution in Nicaragua, 384 Seiten, mit Fotos, Fr. 24.80/DM 27.80, ISBN 3-85869-017-1

Roque Dalton
Armer kleiner Dichter, der ich war
Das Hauptwerk des salvadorianischen Dichter und Revolutionärs, übersetzt von Silvia Pappe, 512 Seiten, Fr./DM 38.-, engl. Broschur, ISBN 3-85869-034-1

Miguel Angel Asturias
Der Herr Präsident
Roman, mit einer Nachschrift des Autors 320 Seiten, franz. Broschur, Fr. 21.-/ DM 22.80, ISBN 3-85869-031-7

Rodolfo Walsh
Operazion Massaker
Argentinischer Tatsachenbericht nach Aussagen Erschossener, 200 Seiten, Fr. 17.80/DM 19.80, ISBN 3-85869-027-9

Karibik

René Depestre
Der Schlaraffenbaum
Roman aus der Karibik.
Vorwort von Al Imfeld, 160 Seiten, Fr. 18.80/DM 19.80, ISBN 3-85869-040-4

Maurice Lemoine
Bitterer Zucker
Sklaven heute in der Karibik.
304 Seiten, Fr. 24.80/DM 27.80, illustr., ISBN 3-85869-024-4

Afrika

Jean-Philippe Rapp/Jean Ziegler
Burkina Faso
U.a. Gespräch mit Thomas Sankara (†)
176 Seiten, illustr., Fr. 17.80/DM 19.80, franz. Broschur, ISBN 3-85869-043-0

John Ya-Otto
Namibia
autobiographischer Bericht.
200 Seiten, illustr., Fr. 17.80/DM 19.80, ISBN 3-85869-026-0

rotpunktverlag

Unsere Bücher erhalten Sie in Ihrer Buchhandlung in der Bundesrepublik, Berlin, Oesterreich und der Schweiz oder direkt beim rotpunktverlag, Postfach 397, CH-8026 Zürich/Schweiz, Tel. 01/241 84 34.
Verlangen Sie unsern Gesamtprospekt.
Auf Wiederlesen.

Axel Schulte, Monika Müller, Jan Vink u.a.
Ausländer in der Bundesrepublik

Integration, Marginalisierung, Identität
MP 29, Materialis, 168 S. A 5, 26,00 DM

Die Arbeitgeberverbände und die jetzige Bundesregierung begannen vor ein paar Jahren eine große Kampagne zur Ausländerfrage. Mit großem Aufwand stellten sie u.a. die folgenden Behauptungen auf:

☐ Jetzt in der Wirtschaftskrise sei es geboten, die ausländischen Arbeiter und ihre Familien wieder in ihre Heimatländer abzuschieben. Dies sei ein „normaler Prozeß der Rückkehr."

☐ „Objektiv" sei jetzt „die Grenze erreicht", bei der „die Bevölkerung" die Zahl der Ausländer als „Zumutung" empfinde.

Diese Kampagne, die als mediale Realität in Szene gesetzt wurde, löste auch prompt bei weiten Teilen der Bevölkerung eine Welle von Ausländerfeindlichkeit aus.

Um dem entgegenzutreten, bildeten sich allerorten Ausländerinitiativen. Das Ausländerkomitee Hannover hat damals begonnen, dieses Buch zu erarbeiten, um die obigen Behauptungen u.a. detailliert zu widerlegen. Mittlerweile haben diese Initiativen einigen Erfolg gehabt: die Ausländerfeindlichkeit ist momentan nicht mehr so virulent. Und der riesige Erfolg des Buches „Ganz unten" von Günter Wallraff zeigt, daß eine Art Gegenoffensive zustandegekommen ist.

Auf der anderen Seite haben Arbeitgeber und Regierung ihre strukturellen Nahziele auch erreicht: Der Abschiebeprozeß wurde erfolgreich eingeleitet und die Bestimmungen des Ausländerrechts werden verschärft angewandt.

Mithin haben die in diesem Buch vorgetragenen Gegenargumente weder ihre Aktualität verloren, noch sind sie schon genugsam verbreitet. Das Buch empfiehlt sich daher als ergänzende Sachbuchlektüre zu dem von Wallraff. Dort, wo Wallraff schon den Boden bereitet hat, können die Beiträge dieses Buches gut zu einer umfassenden Information der verschiedenen Aspekte der Ausländerproblematik genutzt werden. Ausländerbeschäftigung, Ausländerpolitik, Fremdenhaß und Fremdenliebe, internationale Solidarität im Betrieb, die Wohnsituation von Ausländern, Rückkehr der Arbeitsemigranten, die türkische Familie in der Bundesrepublik sind die Themen, die in diesem Buch behandelt werden. Auch für die mittlerweile sich anbahnende zweite Runde der Auseinandersetzung zeigt dieses Buch schon eine Perspektive auf. (Lothar Wolfstetter)

Hans Blume
Portugal braucht Zeit zum Kennenlernen

Reisebeschreibungen und Sozialreportagen
PS 2, Metarialis, 280 S., A 5, 65 Abb., 20 Karten, 39,80 DM

Das Buch läßt den Leser teilhaben an einer Reise vom Norden bis hin zum Süden Portugals. Kulturelle und landschaftliche Sehenswürdigkeiten werden nicht nur in ihrer touristischen Bedeutung dargestellt, sondern wir erleben sie in ihrem geschichtlichen Kontext. Mit seiner uneingeschränkten Zuneigung für die Menschen, macht der Autor uns miteinander bekannt und der Leser fühlt sich dort sofort zuhause. Unsere Rerise führt uns von der verarmten Provinz Trás-os-Montes im Nordosten Portugals zu der bereits touristisch erschlossenen Algarve im Süden. Die gesellschaftlichen und ökonomischen Gegensätze dieses Landes werden uns sachkundig dargestellt. Das Buch ist nicht angereichert mit Fakten, die oft nur zu schnell vergessen werden, sondern angefüllt mit Beschreibungen und Erläuterungen und bietet genug Raum für den Leser, sich seinen eigenen Gedanken hinzugeben. So lernt er bei einer Straßenbahnfahrt durch Lissabon diese wunderschöne Stadt kennen und wird neugierig darauf sein, in einem Fado-Lokal am Leben der Portugiesen teilzuhaben.

Dies ist also ein Buch für den Portugalreisenden, der mehr möchte als die Beschreibung eines Bauwerkes, wie er zum Strand kommt oder wo er die portugiesische Küche besonders gut genießen kann. Dies kommt natürlich nicht zu kurz. In jeder Region wird über deren Eigentümlichkeit auch das für den Touristen Interessante berichtet, der nicht so viel Zeit mitbringen kann. Auch wer seinen Urlaub verständlicherweise nur an der schönen Algarve verbringen möchte, erfährt durch dieses Buch doch sehr viel über dieses Land. So erhält der Leser auch ein sehr lebendiges Bild der Revolution der Nelken am 25. April 1974. Hans Blume war zu dieser Zeit (1972-77) in Lissabon und beschreibt als Augenzeuge die Revolution. Diese Erlebnisse und die Gespräche, die er mit Teilnehmern führte, haben ihn veranlaßt, in seinem Buch den Ereignissen einen breiten Raum einzuräumen. Er berichtet auch ausführlich von den Gründungen der Kooperativen im Alentejo, von den Landarbeitern, die sich von den Großgrundbesitzern zu befreien suchten. Auch über die Situation der politischen Parteien und Strömungen nach dem 25. April informiert der Autor.

Dieses Buch ist voll von Eindrücken und Erlebnissen. Es bietet Informationen, wie sie sonst kaum in einem gleichartigen Buch zu finden sind. Keine leichte Lektüre, sondern ein Buch, das auch auffordert zum Nachdenken. (Roswitha Sopper)